#교과서×사고력
#게임하듯공부해
#스티커게임?리얼공부!

Go! 매쓰
초등 수학

저자 김보미

- 네이버 대표카페 '성공하는 공부방 운영하기' 운영자
- '미래엔', '메가스터디', '천재교육' 교재 기획 및 집필
- 전국 1,000개 이상의 공부방/선생님 컨설팅 및 교육
- 현재 〈GO! 매쓰〉 수학 공부방 운영

Chunjae
Makes
Chunjae

▼

기획총괄	김아나
편집개발	이근우, 김정희, 서진호, 최수정, 김혜민, 김현주
디자인총괄	김희정
표지디자인	윤순미
내지디자인	박희춘, 이혜미
제작	황성진, 조규영

발행일	2020년 10월 1일 2판 2023년 12월 1일 3쇄
발행인	(주)천재교육
주소	서울시 금천구 가산로9길 54
신고번호	제2001-000018호
고객센터	1577-0902
교재 구입 문의	1522-5566

교과서 GO! 사고력 GO!

GO! 매쓰

Run-A

교과서 사고력

수학 2-1

구성과 특징

1주차 교과 집중 학습

1 교과서 개념 완성

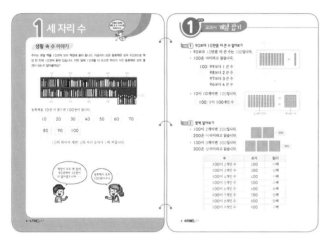

재미있는 수학 이야기로 단원에 대한 흥미를 높이고, 교과서 개념과 기본 문제를 학습합니다.

2 교과서 개념 PLAY

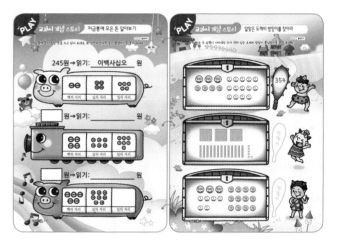

게임으로 개념을 학습하면서 집중력을 높여 쉽게 개념을 익히고 기본을 탄탄하게 만듭니다.

3 문제 풀이로 실력 & 자신감 UP!

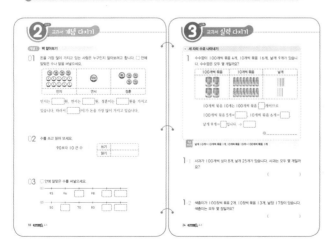

한 단계 더 나아간 교과서와 익힘 문제로 개념을 완성하고, 다양한 문제 유형으로 응용력을 키웁니다.

4 서술형 문제 풀이

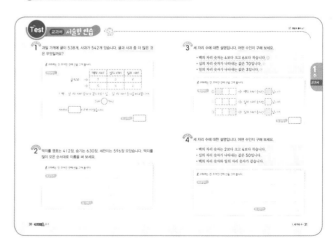

시험에 잘 나오는 서술형 문제 중심으로 단계별로 풀이하는 연습을 하여 서술하는 힘을 높여 줍니다.

2주차 사고력 확장 학습

1 사고력 PLAY

교과 심화 문제와 사고력 문제를 게임으로 쉽게 접근하여 어려운 문제에 대한 거부감을 낮추고 집중력을 높입니다.

2 교과 사고력 잡기

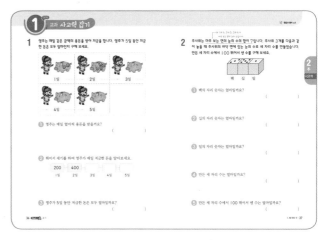

문제에 필요한 요소를 찾아 단계별로 해결하면서 문제 해결력을 키울수 있는 힘을 기릅니다.

3 교과 사고력 완성

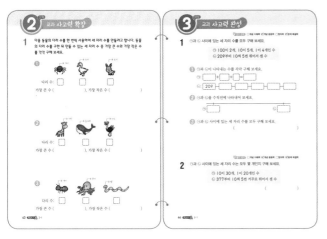

틀에서 벗어난 생각을 하여 문제를 해결하는 창의적 사고력을 기를 수 있는 힘을 기릅니다.

4 종합평가 / 특강

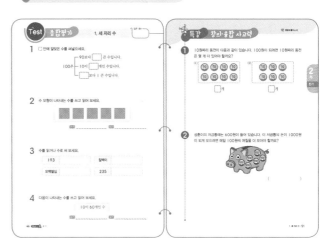

교과 학습과 사고력 학습을 얼마나 잘 이해하였는지 평가하여 배운 내용을 정리합니다.

1 세 자리 수

단원과 관련된 생활 속 수 이야기를 살펴보아요.

생활 속 수 이야기

주아는 매달 책을 10권씩 모아 책장에 꽂아 둡니다. 지금까지 모은 동화책은 모두 90권으로 책장 한 칸에 10권씩 꽂혀 있습니다. 이번 달에 10권을 더 모으면 주아가 가진 동화책은 모두 몇 권이 되는지 알아볼까요?

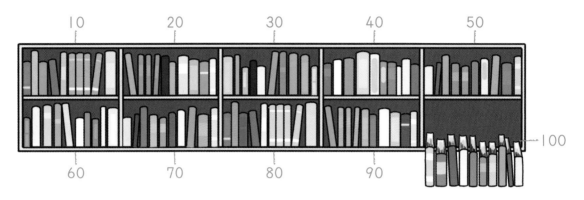

동화책을 10권 더 꽂으면 100권이 됩니다.

10씩 뛰어서 세면 십의 자리 숫자가 1씩 커집니다.

책장이 모두 꽉 찼네. 90권에서 10권이 더 많아졌으니까……

동화책이 모두 100권이구나.

🎓 같은 수를 나타내는 것끼리 이어 보세요.

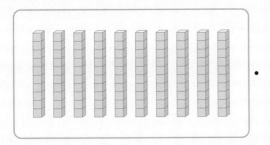

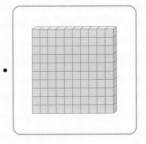

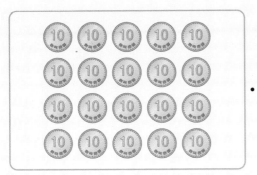

준비물 붙임딱지

🎓 백 원이 되도록 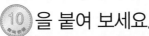 을 붙여 보세요.

개념 1 90보다 10만큼 더 큰 수 알아보기

- 90보다 10만큼 더 큰 수는 100입니다.
- 100은 백이라고 읽습니다.

  100: 99보다 1 큰 수
  98보다 2 큰 수
  97보다 3 큰 수
  96보다 4 큰 수

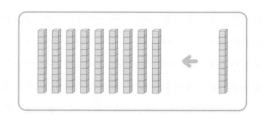

- 10이 10개이면 100입니다.

  100: 1이 100개인 수

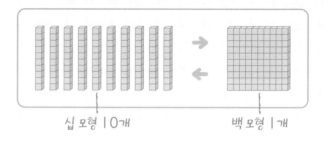

십 모형 10개   백 모형 1개

개념 2 몇백 알아보기

- 100이 2개이면 200입니다.
  200은 이백이라고 읽습니다.
- 100이 3개이면 300입니다.
  300은 삼백이라고 읽습니다.

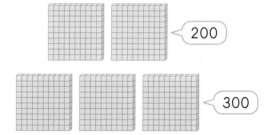

200

300

수	쓰기	읽기
100이 2개인 수	200	이백
100이 3개인 수	300	삼백
100이 4개인 수	400	사백
100이 5개인 수	500	오백
100이 6개인 수	600	육백
100이 7개인 수	700	칠백
100이 8개인 수	800	팔백
100이 9개인 수	900	구백

개념 확인 문제

1-1 ☐ 안에 알맞은 수를 써넣으세요.

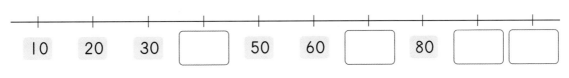

10 20 30 ☐ 50 60 ☐ 80 ☐ ☐

➜ 90보다 10만큼 더 큰 수는 ☐ 입니다.

1-2 수 모형을 보고 ☐ 안에 알맞은 수를 써넣으세요.

십 모형	백 모형
☐ 개	☐ 개

(1) 십 모형 ☐ 개는 백 모형 ☐ 개와 같습니다.

(2) 10이 10개이면 ☐ 입니다.

2 수 모형이 나타내는 수를 쓰고 읽어 보세요.

(1)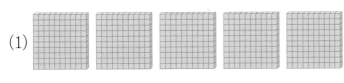

쓰기	
읽기	

(2)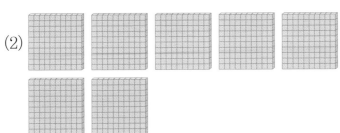

쓰기	
읽기	

개념 3   세 자리 수 알아보기

백 모형	십 모형	일 모형
100이 2개	10이 4개	1이 5개

- 100이 2개, 10이 4개, 1이 5개이면 245입니다.
  245는 이백사십오라고 읽습니다.

백 모형	십 모형	일 모형
100이 3개	10이 7개	1이 0개

- 100이 3개, 10이 7개, 1이 0개이면 370입니다.
  370은 삼백칠십이라고 읽습니다.

백 모형	십 모형	일 모형
100이 4개	10이 0개	1이 3개

- 100이 4개, 10이 0개, 1이 3개이면 403입니다.
  403은 사백삼이라고 읽습니다.

참고 자리 숫자가 0인 경우 그 자리는 읽지 않습니다.
208 ➡ 이백팔, 850 ➡ 팔백오십

3-1 수 모형이 나타내는 수를 쓰고 읽어 보려고 합니다. ☐ 안에 알맞은 수나 말을 써넣으세요.

백 모형	십 모형	일 모형
100이 ☐ 개	10이 ☐ 개	1이 ☐ 개

☐ (이)라 쓰고 ☐ (이)라고 읽습니다.

3-2 그림이 나타내는 수를 쓰고 읽어 보세요.

(1)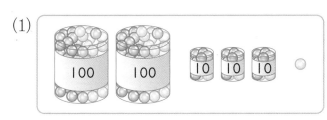

쓰기	
읽기	

(2)

쓰기	
읽기	

3-3 다음이 나타내는 수를 써 보세요.

> 100이 7개, 10이 6개, 1이 2개인 수

( )

개념 4 각 자리의 숫자는 얼마를 나타내는지 알아보기

백의 자리	십의 자리	일의 자리
3	7	2

3	0	0
	7	0
		2

3은 백의 자리 숫자이고, 300을 나타냅니다.

7은 십의 자리 숫자이고, 70을 나타냅니다.

2는 일의 자리 숫자이고, 2를 나타냅니다.

$$372 = 300 + 70 + 2$$

개념 5 뛰어서 세어 보기

• 100씩 뛰어서 세기

백의 자리 숫자가 1씩 커집니다.

100	200	300	400	500	600	700	800	900

• 10씩 뛰어서 세기

십의 자리 숫자가 1씩 커집니다.

210	220	230	240	250	260	270	280	290

• 1씩 뛰어서 세기

일의 자리 숫자가 1씩 커집니다.

991	992	993	994	995	996	997	998	999

• 천 알아보기

999보다 1만큼 더 큰 수는 1000입니다.

1000은 천이라고 읽습니다.

개념 확인 문제

4-1 238을 수 모형으로 나타내었습니다. 물음에 답하세요.

백 모형	십 모형	일 모형
100이 ☐개	10이 ☐개	1이 ☐개

(1) ☐ 안에 알맞은 수를 써넣으세요.

(2) 238에서 2는 얼마를 나타낼까요?

(   )

(3) 238에서 3은 얼마를 나타낼까요?

(   )

(4) 238에서 8은 얼마를 나타낼까요?

(   )

4-2 ☐ 안에 알맞은 수를 써넣으세요.

100이 6개	10이 5개	1이 9개
600	☐	☐

659 →

659 = ☐ + ☐ + ☐

5 뛰어서 세었습니다. 빈칸에 알맞은 수를 써넣으세요.

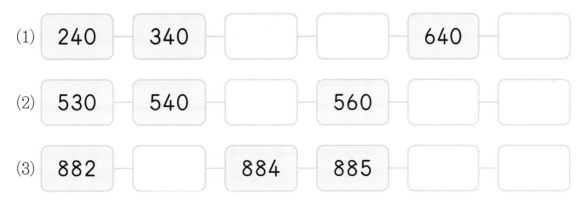

(1) 240   340   ☐   ☐   640   ☐

(2) 530   540   ☐   560   ☐   ☐

(3) 882   ☐   884   885   ☐   ☐

개념 6 어느 수가 더 큰지 알아보기

• 세 자리 수의 크기를 비교할 때는 백, 십, 일의 자리를 차례로 비교합니다.

백의 자리 숫자가 다르면 백의 자리 숫자를 비교합니다.

	백의 자리	십의 자리	일의 자리
358 ➡	3	5	8
172 ➡	1	7	2

358 > 172
3>1

백의 자리 숫자가 같으면 십의 자리 숫자를 비교합니다.

	백의 자리	십의 자리	일의 자리
269 ➡	2	6	9
275 ➡	2	7	5

269 < 275
6<7

백, 십의 자리 숫자가 같으면 일의 자리 숫자를 비교합니다.

	백의 자리	십의 자리	일의 자리
682 ➡	6	8	2
684 ➡	6	8	4

682 < 684
2<4

개념 확인 문제

6-1 빈칸에 알맞은 수를 써넣고 두 수의 크기를 비교하여 ○ 안에 > 또는 <를 알맞게 써넣으세요.

(1)

819 ➡

735 ➡

백의 자리	십의 자리	일의 자리
8	1	9

819 ◯ 735

(2)

564 ➡

570 ➡

백의 자리	십의 자리	일의 자리

564 ◯ 570

(3)

487 ➡

485 ➡

백의 자리	십의 자리	일의 자리

487 ◯ 485

6-2 두 수의 크기를 비교하여 ○ 안에 > 또는 <를 알맞게 써넣으세요.

(1) 476 ◯ 503

(2) 248 ◯ 249

(3) 327 ◯ 319

(4) 653 ◯ 700

6-3 빈칸에 알맞은 수를 써넣고 ☐ 안에 알맞은 수를 써넣으세요.

630 ➡

597 ➡

632 ➡

백의 자리	십의 자리	일의 자리
6	3	0

가장 큰 수는 ☐ 이고 가장 작은 수는 ☐ 입니다.

준비물 ◀ 붙임딱지

저금통에 들어 있는 돈을 쓰고 읽어 보세요. 또 금액에 맞도록 동전 붙임딱지를 붙여 보세요.

245원 → 읽기: _____이백사십오_____ 원

원 → 읽기: _____ 원

원 → 읽기: _____ 원

134 원 → 읽기: _____ 원

백의 자리	십의 자리	일의 자리

506 원 → 읽기: _____ 원

백의 자리	십의 자리	일의 자리

원 → 읽기: _____ 원

백의 자리	십의 자리	일의 자리

아무 금액이나 정하여 읽고 붙임딱지를 붙여 보세요.

교과서 개념 스토리 | 알맞은 도깨비 방망이를 찾아라

준비물 붙임딱지

동전 또는 수 모형이 나타내는 수가 적혀 있는 도깨비 방망이 붙임딱지를 붙여 보세요.

354

방
망
이

방
망
이

방
망
이

방
망
이

방
망
이

개념 1 백 알아보기

01 돈을 가장 많이 가지고 있는 사람은 누구인지 알아보려고 합니다. □ 안에 알맞은 수나 말을 써넣으세요.

| 민지 | 연서 | 정훈 |

민지는 □ 원, 연서는 □ 원, 정훈이는 □ 원을 가지고

있습니다. 따라서 □ (이)가 돈을 가장 많이 가지고 있습니다.

02 수를 쓰고 읽어 보세요.

90보다 10 큰 수

| 쓰기 | |
| 읽기 | |

03 □ 안에 알맞은 수를 써넣으세요.

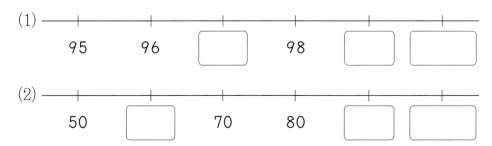

(1) 95 96 □ 98 □ □

(2) 50 □ 70 80 □ □

개념 2 **몇백 알아보기**

04 600만큼 묶어 보고 ☐ 안에 알맞은 수를 써넣으세요.

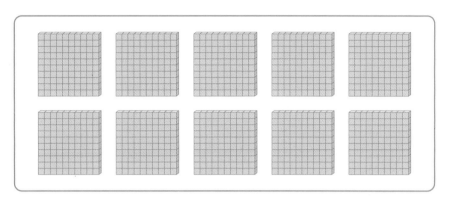

600은 백 모형 ☐ 개와 같습니다.

05 ☐ 안에 알맞은 수를 써넣으세요.

(1) 100이 3개이면 ☐ 입니다.

(2) ☐ 은 100이 7개인 수입니다.

(3) 100이 ☐ 개이면 900입니다.

06 수를 읽어 보거나 수로 써 보세요.

(1) 400 ➡ ( )

(2) 팔백 ➡ ( )

1
주

교과서

개념3 세 자리 수 알아보기

07 다음이 나타내는 수를 써 보세요.

100이 3개, 10이 9개, 1이 4개인 수

100이 3개이면 ☐, 10이 9개이면 ☐, 1이 4개이면 ☐ 입니다.

따라서 나타내는 수는 ☐입니다.

08 빈칸에 알맞은 말이나 수를 써넣으세요.

528	

703	

	이백육십

	구백십이

09 동전은 모두 얼마일까요?

( )

개념 4 각 자리의 숫자가 나타내는 값 알아보기

10 숫자 7이 나타내는 값이 다른 것을 찾아 기호를 써 보세요.

㉠ 714   ㉡ 705   ㉢ 672   ㉣ 798

숫자 7이 나타내는 값을 각각 쓰면

㉠ 7̲14 → ☐   ㉡ 7̲05 → ☐

㉢ 67̲2 → ☐   ㉣ 7̲98 → ☐

이므로 숫자 7이 나타내는 값이 다른 하나는 ☐입니다.

11 ☐ 안에 알맞은 수를 써넣으세요.

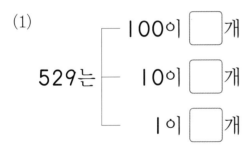

(1)
529는
┌ 100이 ☐ 개
├ 10이 ☐ 개
└ 1이 ☐ 개

(2)
367은
┌ 100이 ☐ 개
├ 10이 ☐ 개
└ 1이 ☐ 개

12 밑줄 친 숫자가 나타내는 값을 써 보세요.

(1) 4̲82   → (   )

(2) 5̲55   → (   )

(3) 69̲3   → (   )

개념 5 뛰어서 세기

13 그림의 □ 안에 알맞은 수를 써넣고 몇씩 뛰어서 세었는지 알아보세요.

330 340 350 360 □ □

(백 , 십 , 일)의 자리 숫자가 □씩 커지므로 □씩 뛰어서 센 것입니다.

14 □ 안에 알맞은 수를 써넣으세요.

825보다
1 큰 수는 □
10 큰 수는 □ 입니다.
100 큰 수는 □

15 빈칸에 알맞은 수를 써넣고 몇씩 뛰어서 세었는지 알아보세요.

(1) 315 — 415 — □ — 615 — □

➡ □씩 뛰어서 세었습니다.

(2) 723 — □ — □ — 726 — 727

➡ □씩 뛰어서 세었습니다.

개념6 두 수의 크기 비교하기

16 수 모형이 나타내는 수를 □ 안에 써넣은 뒤 두 수의 크기를 비교하여 ○ 안
에 > 또는 <를 알맞게 써넣으세요.

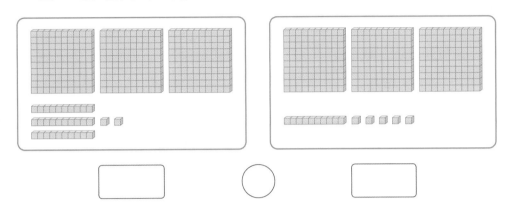

17 수의 크기를 비교하여 가장 큰 수를 찾아 ○표 하세요.

(1)

| 259 | 581 | 390 |

(2)

| 802 | 624 | 795 | 800 |

18 진주와 친구들의 줄넘기 횟수를 나타낸 것입니다. 줄넘기를 가장 많이 한 사
람은 누구일까요?

진주	혜수	준수	동진
203번	119번	241번	185번

(   )

★ 세 자리 수로 나타내기

1 수수깡이 100개씩 묶음 4개, 10개씩 묶음 16개, 낱개 9개가 있습니다. 수수깡은 모두 몇 개일까요?

100개씩 묶음	10개씩 묶음	낱개
100 100 100 100	10 10 10 10 10 10 10 10 10 10 10 10 10 10 10 10	‖‖‖‖‖ ‖‖‖‖

10개씩 묶음 10개는 100개씩 묶음 ☐개이므로

100개씩 묶음 5개=☐, 10개씩 묶음 6개=☐,

낱개 9개=☐입니다. ➡ ☐

답 _____

 개념
피드백 낱개 10개=10개씩 묶음 1개, 10개씩 묶음 10개=100개씩 묶음 1개

1-1 사과가 100개씩 상자 8개, 낱개 25개가 있습니다. 사과는 모두 몇 개일까요?

(   )

1-2 색종이가 100장씩 묶음 2개, 10장씩 묶음 13개, 낱장 17장이 있습니다. 색종이는 모두 몇 장일까요?

(   )

★ 규칙을 찾아 뛰어서 세기

2 **보기**와 같은 규칙으로 수를 뛰어서 세어 보세요.

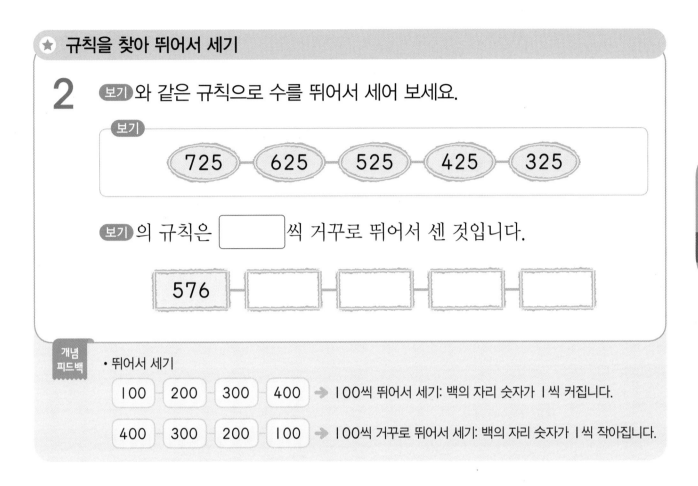

보기

725 — 625 — 525 — 425 — 325

보기의 규칙은 [ ]씩 거꾸로 뛰어서 센 것입니다.

576 — [ ] — [ ] — [ ] — [ ]

개념 피드백

• 뛰어서 세기

100 — 200 — 300 — 400 ➡ 100씩 뛰어서 세기: 백의 자리 숫자가 1씩 커집니다.

400 — 300 — 200 — 100 ➡ 100씩 거꾸로 뛰어서 세기: 백의 자리 숫자가 1씩 작아집니다.

2-1 규칙을 찾아 수를 뛰어서 세어 보세요.

990 — 992 — [ ] — 996 — [ ] — [ ]

2-2 규칙을 찾아 수를 뛰어서 셀 때 ★에 알맞은 수를 구해 보세요.

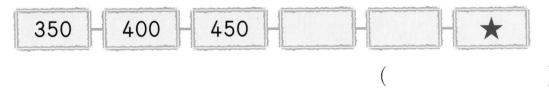

350 — 400 — 450 — [ ] — [ ] — ★

(   )

★ **어떤 수 구하기**

3 어떤 수에서 100씩 1번 뛰어서 센 수는 374입니다. 어떤 수에서 10씩 거꾸로 1번 뛰어서 센 수는 얼마일까요?

　① 어떤 수에서 100씩 1번 뛰어서 센 수=374

　　➡ 어떤 수=374에서 100씩 거꾸로 1번 뛰어서 센 수

　② 어떤 수는 □□□ 입니다.

　③ 어떤 수에서 10씩 거꾸로 1번 뛰어서 센 수는 □□□ 입니다.

　　　　　　　　　　　　　　　　　　답 _____

개념 피드백　• 뛰어서 세기

3-1 어떤 수에서 100씩 1번 뛰어서 센 수는 405입니다. 어떤 수를 구한 뒤 어떤 수에서 1씩 거꾸로 1번 뛰어서 센 수는 얼마인지 구해 보세요.

　　　　　　　　　어떤 수: □□□ , 답: □□□

3-2 어떤 수에서 10씩 2번 뛰어서 센 수는 522입니다. 어떤 수에서 100씩 거꾸로 2번 뛰어서 센 수는 얼마일까요?

　　　　　　　　　　　　　　(　　　　　　　)

★ 크기를 비교해서 ☐ 안에 들어갈 수 있는 수 구하기

4 0부터 9까지의 수 중에서 ■ 안에 들어갈 수 있는 수를 모두 써 보세요.

$$26\blacksquare > 265$$

① ☐의 자리와 ☐의 자리 숫자가 같습니다.

② 일의 자리를 비교하면 ■ 안에 들어갈 수는 ☐보다 커야 하므로

☐, ☐, ☐, ☐입니다.

답 _____

개념 피드백

• 세 자리 수의 크기 비교

백의 자리 숫자가 클수록 더 큰 수	→	백의 자리 숫자가 같으면 십의 자리 숫자가 클수록 더 큰 수	→	백, 십의 자리 숫자가 같으면 일의 자리 숫자가 클수록 더 큰 수

4-1 세 자리 수의 크기를 비교하면 다음과 같습니다. ☐ 안에 들어갈 수 있는 수는 모두 몇 개일까요?

$$564 \, \bigcirc{>} \, 5\square 4$$

(   )

4-2 세 자리 수에서 일의 자리 숫자가 보이지 않습니다. 두 수의 크기를 비교하여 ○ 안에 > 또는 <를 알맞게 써넣으세요.

3 5 ◆   ○   3 3 ◆

⭐ **수 카드로 세 자리 수 만들기**

5 4장의 수 카드 중 3장을 뽑아 한 번씩 사용하여 세 자리 수를 만들려고 합니다. 만들 수 있는 세 자리 수 중 가장 큰 수와 가장 작은 수를 각각 구해 보세요.

가장 큰 수 (   ), 가장 작은 수 (   )

> **개념 피드백** 세 자리 수 ■▲●에서 가장 크려면 ■>▲>●
> 가장 작으려면 ■<▲<●

5-1 3장의 수 카드를 한 번씩 사용하여 가장 작은 세 자리 수를 만들어 보세요.

(   )

5-2 4장의 수 카드 중 3장을 뽑아 한 번씩 사용하여 세 자리 수를 만들려고 합니다. 만들 수 있는 세 자리 수 중 가장 큰 수와 가장 작은 수를 각각 구해 보세요.

가장 큰 수 (   ), 가장 작은 수 (   )

★ 나타낼 수 있는 세 자리 수 구하기

6 수 모형 4개 중 3개를 사용하여 나타낼 수 있는 세 자리 수를 모두 찾아 ○표 하세요.

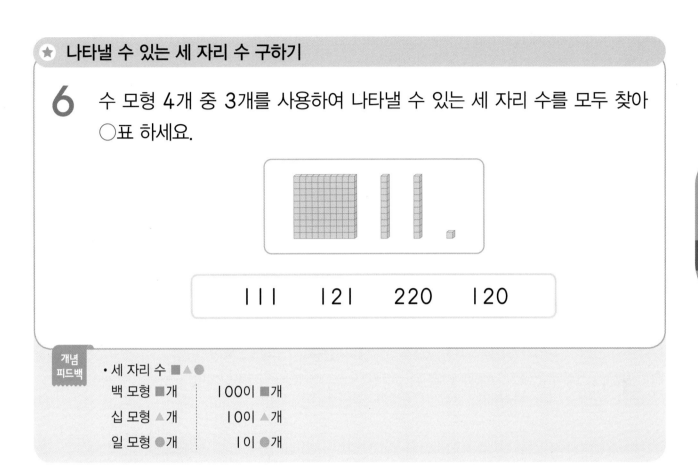

| | | | | 1 2 1 | 2 2 0 | 1 2 0 |

개념 피드백

• 세 자리 수 ■▲●

백 모형 ■개	100이 ■개
십 모형 ▲개	10이 ▲개
일 모형 ●개	1이 ●개

6-1 동전 5개 중 3개를 사용하여 나타낼 수 있는 세 자리 수를 모두 찾아 ○표 하세요.

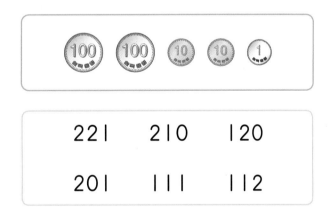

| 2 2 1 | 2 1 0 | 1 2 0 |
| 2 0 1 | 1 1 1 | 1 1 2 |

1 과일 가게에 귤이 538개, 사과가 542개 있습니다. 귤과 사과 중 더 많은 것은 무엇일까요?

✏️ 구하려는 것, 주어진 것에 선을 그어 봅니다.

해결하기

	백의 자리	십의 자리	일의 자리
귤 538 ➡	5	3	8
➡	5	4	2

(백 , 십)의 자리 숫자가 같으므로 (십 , 일)의 자리 숫자를 비교합니다.

538 ◯ 542

따라서 [ ] 이/가 더 많습니다.

답 구하기 [ ]

2 딱지를 명호는 412장, 승기는 630장, 세찬이는 596장 모았습니다. 딱지를 많이 모은 순서대로 이름을 써 보세요.

✏️ 구하려는 것, 주어진 것에 선을 그어 봅니다.

해결하기

답 구하기

3 세 자리 수에 대한 설명입니다. 어떤 수인지 구해 보세요.

- 백의 자리 숫자는 **4**보다 크고 **6**보다 작습니다.①
- 십의 자리 숫자가 나타내는 값은 **70**입니다.②
- 일의 자리 숫자가 나타내는 값은 **3**입니다.③

✏ 구하려는 것, 주어진 것에 선을 그어 봅니다.

해결하기

① ➡ 백의 자리 숫자는 ☐ 입니다.
② ➡ 십의 자리 숫자는 ☐ 입니다.
③ ➡ 일의 자리 숫자는 ☐ 입니다.

답 구하기 ☐

4 세 자리 수에 대한 설명입니다. 어떤 수인지 구해 보세요.

- 백의 자리 숫자는 **2**보다 크고 **4**보다 작습니다.
- 십의 자리 숫자가 나타내는 값은 **50**입니다.
- 백의 자리 숫자와 일의 자리 숫자가 같습니다.

✏ 구하려는 것, 주어진 것에 선을 그어 봅니다.

해결하기

답 구하기

준비물 붙임딱지

주어진 수 카드 중 3장을 한 번씩 사용하여 문 앞에 써 있는 조건에 맞는 세 자리 수를 만들려고 합니다. 수 붙임딱지를 붙여 문 번호를 완성하고 문 번호가 가장 큰 수이면 곰 붙임딱지, 가장 작은 수이면 토끼 붙임딱지를 붙여 보세요.

8　2　6

2　6　8

100이 2개,
10이 8개,
1이 6개인 수

600+20+8

백의 자리 숫자가 6,
십의 자리 숫자가 8,
일의 자리 숫자가 2

626에서
100씩 2번
뛰어서 센 수

백 모형 8개,
십 모형 6개,
일 모형 2개

6 8 2 0

2 8 6

202에서
1씩 4번
뛰어서 센 수

660에서
10씩 2번
뛰어서 센 수

백 모형 2개,
십 모형 6개

100이 6개,
10이 8개,
1이 2개인 수

800+20+6

백의 자리 숫자가 8,
십의 자리 숫자가 6,
일의 자리 숫자가 2

506에서
100씩 3번
뛰어서 센 수

902에서
100씩 거꾸로
3번 뛰어서 센 수

1. 세 자리 수 · 33

사고력 개념 스토리 | 세 자리 수의 크기 비교

준비물 붙임딱지

세 자리 수의 크기를 비교하는 판입니다. 크기 비교의 결과를 보고 없어진 일부를 찾아서 빗금을 쳐 보세요. 또 크기 비교의 결과에 맞도록 알맞은 수 조각 붙임딱지를 붙여 완성해 보세요.

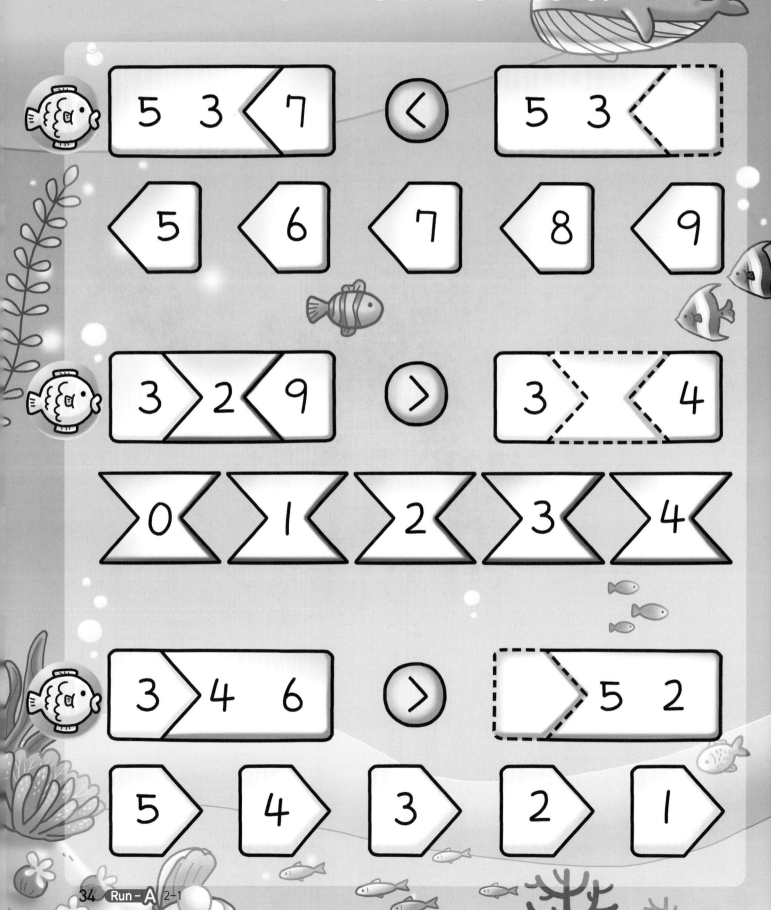

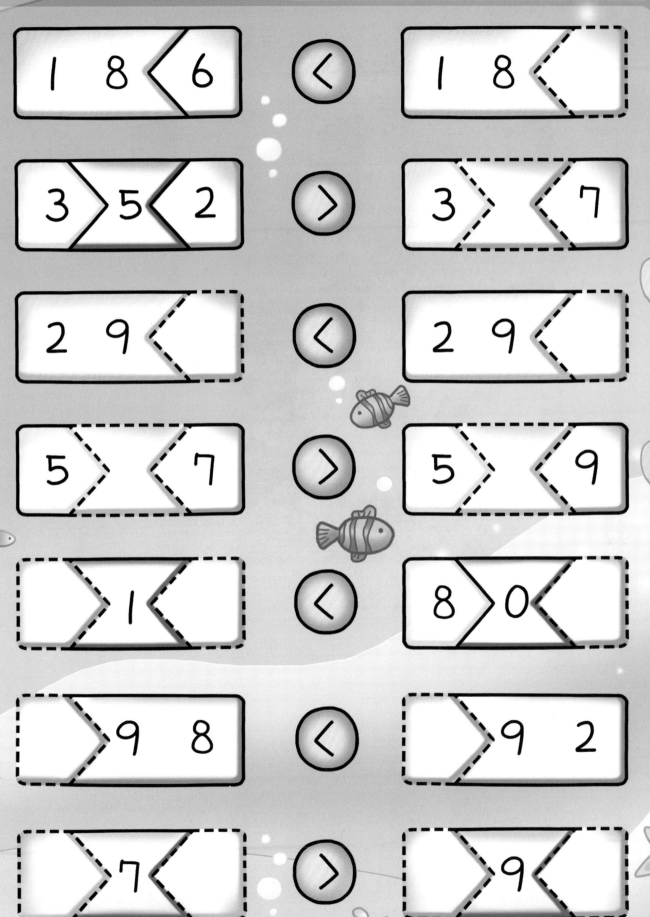

2
주

사고력

1 영주는 매일 같은 금액의 용돈을 받아 저금을 합니다. 영주가 5일 동안 저금한 돈은 모두 얼마인지 구해 보세요.

1일 ➡ 2일 ➡ 3일

4일 ➡ 5일

① 영주는 매일 얼마씩 용돈을 받을까요?

( )

② 뛰어서 세기를 하여 영주가 매일 저금한 돈을 알아보세요.

200	400			
1일	2일	3일	4일	5일

③ 영주가 5일 동안 저금한 돈은 모두 얼마일까요?

( )

2

→ 1과 6, 2와 5, 3과 4가
마주 보는 면의 눈의 수입니다.

주사위는 마주 보는 면의 눈의 수의 합이 7입니다. 주사위 3개를 다음과 같이 놓을 때 주사위의 바닥 면에 있는 눈의 수로 세 자리 수를 만들었습니다. 만든 세 자리 수에서 100 뛰어서 센 수를 구해 보세요.

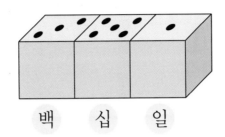

백　　십　　일

① 백의 자리 숫자는 얼마일까요?

(　　　　　　　)

② 십의 자리 숫자는 얼마일까요?

(　　　　　　　)

③ 일의 자리 숫자는 얼마일까요?

(　　　　　　　)

④ 만든 세 자리 수는 얼마일까요?

(　　　　　　　)

⑤ 만든 세 자리 수에서 100 뛰어서 센 수는 얼마일까요?

(　　　　　　　)

2주

사고력

3 할머니 댁에 가기 위해 지민이는 버스를 타야 합니다. 어머니께서 타야 할 버스에 대한 정보를 종이에 적어 주셨습니다. 종이에 적힌 메모를 보고 타야 할 버스의 번호를 써 보세요.

- 버스의 번호는 세 자리 수야.
- 백의 자리 숫자가 5인 버스를 찾아.
- 숫자 3이 나타내는 수가 30인 버스를 타야 해.
- 일의 자리 숫자와 백의 자리 숫자가 같은 버스를 타야 해.

❶ 버스의 번호에서 백의 자리 숫자가 5인 버스를 모두 찾아 번호를 써 보세요.

(   )

❷ 각 버스의 번호에서 십의 자리 숫자가 나타내는 값을 써 보세요.

503 ➡ ☐   533 ➡ ☐

353 ➡ ☐   535 ➡ ☐

❸ 지민이가 타야 할 버스의 번호에서 일의 자리 숫자는 얼마일까요?

(   )

❹ 지민이가 타야 할 버스의 번호를 써 보세요.

(   )

4 준수네 가족은 고모네와 함께 여행을 갔습니다. 준수네 가족이 머무는 방과 고모네 가족이 머무는 방 사이에 있는 방은 모두 몇 개일까요? (단, 방 번호는 순서대로 있고 방 번호에 대한 설명은 문 앞에 있습니다.)

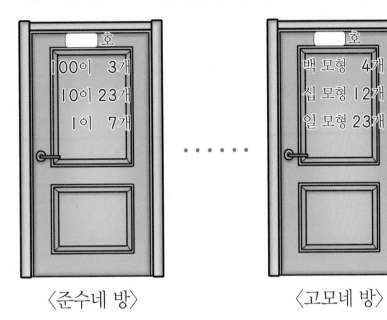

〈준수네 방〉 〈고모네 방〉

1 준수네 방 번호는 몇 호일까요?

( )

2 고모네 방 번호는 몇 호일까요?

( )

3 준수네 방과 고모네 방 사이에 있는 방은 모두 몇 개일까요?

( )

1 다음 동물의 다리 수를 한 번씩 사용하여 세 자리 수를 만들려고 합니다. 동물의 다리 수를 구한 뒤 만들 수 있는 세 자리 수 중 가장 큰 수와 가장 작은 수를 각각 구해 보세요.

❶

다리 수: ☐ ☐ ☐

가장 큰 수 (   ), 가장 작은 수 (   )

❷

다리 수: ☐ ☐ ☐

가장 큰 수 (   ), 가장 작은 수 (   )

❸

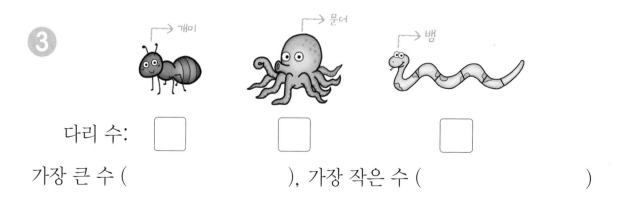

다리 수: ☐ ☐ ☐

가장 큰 수 (   ), 가장 작은 수 (   )

2 규칙에 따라 미로를 탈출해 집을 찾아가 보세요.

① 규칙
10씩 뛰어서 세기

622	632	642	643	644
623	631	652	653	654
624	640	662	672	673
625	645	665	682	683
626	646	666	692	702

집

② 규칙
50씩 뛰어서 세기

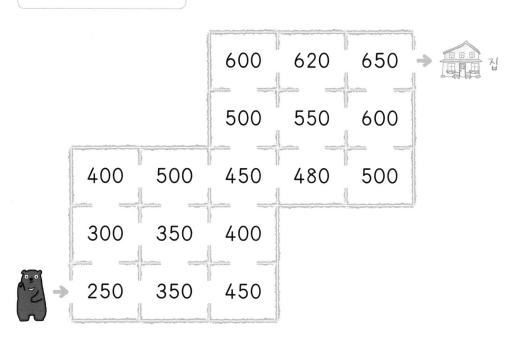

집

		600	620	650
		500	550	600
400	500	450	480	500
300	350	400		
250	350	450		

3 사과에 적힌 세 수를 한 번씩 사용하여 세 자리 수를 만들려고 합니다. 서로 다른 세 자리 수로 이루어진 사과 세트를 만들어 보세요.

①

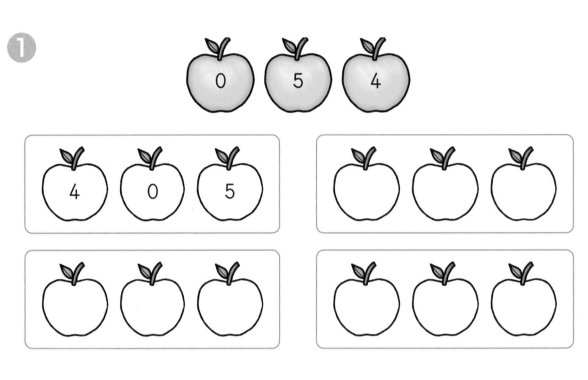

②

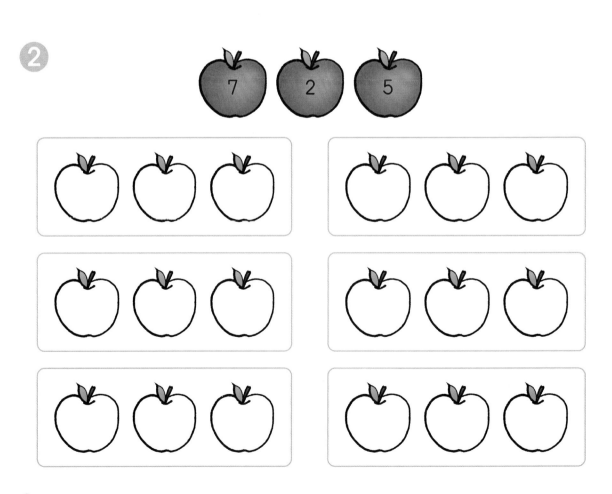

4 주어진 세 수에서 밑줄 그은 숫자가 나타내는 값의 합과 같은 돈이 들어 있는 저금통을 찾아 이어 보세요.

5̲81   41̲0   82̲6   •

2̲74   51̲2   75̲3   •

75̲6   3̲02   28̲6   •

3̲94   40̲5   16̲0   •

41̲9   3̲20   93̲5   •

20̲8   16̲5   4̲93   •

평가 영역 ☐개념 이해력 ☑개념 응용력 ☐창의력 ☑문제 해결력

1 ㉠과 ㉡ 사이에 있는 세 자리 수를 모두 구해 보세요.

㉠ 100이 2개, 10이 5개, 1이 4개인 수
㉡ 209부터 10씩 5번 뛰어서 센 수

① ㉠과 ㉡이 나타내는 수를 각각 구해 보세요.

㉠: ☐ + ☐ + ☐ = ☐

㉡: [209]─[ ]─[ ]─[ ]─[ ]─[ ]

② ㉠과 ㉡을 수직선에 나타내어 보세요.

㉠ [ ]   ㉡ [ ]

③ ㉠과 ㉡ 사이에 있는 세 자리 수를 모두 구해 보세요.

( )

평가 영역 ☐개념 이해력 ☑개념 응용력 ☐창의력 ☑문제 해결력

2 ㉠과 ㉡ 사이에 있는 세 자리 수는 모두 몇 개인지 구해 보세요.

㉠ 10이 30개, 1이 20개인 수
㉡ 377부터 10씩 5번 거꾸로 뛰어서 센 수

( )

평가 영역 ☑개념 이해력 ☐개념 응용력 ☑창의력 ☐문제 해결력

3 윤아는 세 자리 수 354를 다음과 같이 나타내었습니다. 윤아의 수 표현 방법으로 523을 나타내어 보세요.

$$354 \rightarrow \bullet\bullet\bullet \triangle\triangle\triangle\triangle\triangle \bigstar\bigstar\bigstar\bigstar$$

❶ ●, △, ★이 나타내는 값은 각각 얼마인지 구해 보세요.

●=☐, △=☐, ★=☐

❷ 523을 각 자리 숫자가 나타내는 값의 합으로 나타내어 보세요.

523=☐+☐+☐

❸ 523을 ●, △, ★을 사용하여 나타내어 보세요.

→ _____

평가 영역 ☑개념 이해력 ☐개념 응용력 ☑창의력 ☐문제 해결력

4 465를 보기 와 같은 방법으로 나타내어 보세요.

보기
283 | ◆◆◆ ▷▷▷▷▷▷▷▷ ▢▢

 _____

1 □ 안에 알맞은 수를 써넣으세요.

100은
- 90보다 □ 큰 수입니다.
- 10이 □ 개인 수입니다.
- □ 보다 1 큰 수입니다.

2 수 모형이 나타내는 수를 쓰고 읽어 보세요.

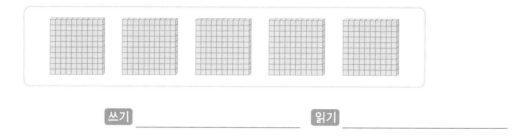

쓰기 _____   읽기 _____

3 수를 읽거나 수로 써 보세요.

193	

칠백이	

오백팔십	

235	

4 다음이 나타내는 수를 쓰고 읽어 보세요.

10이 60개인 수

쓰기 _____   읽기 _____

5 동전은 모두 얼마일까요?

(   )

6 두 수의 크기를 비교하여 ○ 안에 > 또는 <를 알맞게 써넣으세요.

164	○	154		609	○	710
920	○	913		522	○	528

7 뛰어서 세어 보세요.

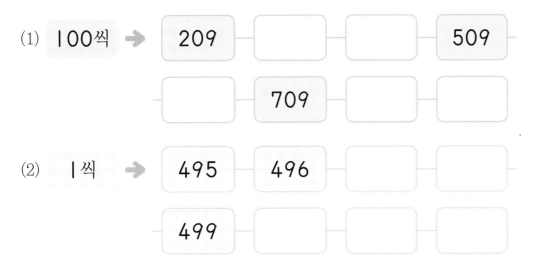

(1) 100씩 ➡ 209 □ □ 509
□ 709 □ □

(2) 1씩 ➡ 495 496 □ □
499 □ □ □

8 100을 바르게 설명한 것을 모두 찾아 기호를 써 보세요.

> ㉠ 10개씩 10묶음 ㉡ 999보다 1 큰 수
> ㉢ 95보다 5 큰 수 ㉣ 100이 10개인 수

( )

9 도서관에 동화책이 705권, 시집이 689권 있습니다. 동화책과 시집 중 어느 것이 더 많을까요?

( )

10 700을 나타내는 숫자를 찾아 기호를 써 보세요.

$$\underset{㉠}{7}\ \underset{㉡}{7}\ \underset{㉢}{7}$$

( )

11 345보다 크고 349보다 작은 세 자리 수를 모두 써 보세요.

( )

12 뛰어서 세었습니다. 빈 곳에 알맞은 수를 써넣고 얼마씩 뛰어 세었는지 ☐ 안에 알맞은 수를 써넣으세요.

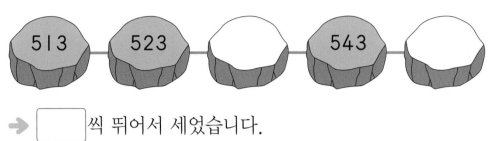

➡ ☐ 씩 뛰어서 세었습니다.

13 정아는 100원짜리 동전 8개를 가지고 있습니다. 1000원이 되려면 100원짜리 동전이 몇 개 더 필요할까요?

( )

14 어떤 수에서 100씩 1번 거꾸로 뛰어서 센 수는 724입니다. 어떤 수에서 10씩 1번 뛰어서 센 수는 얼마일까요?

( )

15 1부터 9까지의 수 중에서 ☐ 안에 들어갈 수 있는 수를 모두 구해 보세요.

657<☐19

( )

16 수 카드를 한 번씩 사용하여 세 자리 수를 만들려고 합니다. 만들 수 있는 세 자리 수 중 가장 큰 수를 구해 보세요.

(   )

17 보기 와 같은 방법으로 딸기 526개를 나타내어 보세요.

보기

| 딸기 100개 ➡ ⬜ | 딸기 10개 ➡ ▲ | 딸기 1개 ➡ ◯ |

백의 자리(⬜)	십의 자리(▲)	일의 자리(◯)

18 정아는 마트에서 라면 코너를 찾고 있습니다. 점원의 설명을 듣고 라면 코너가 있는 곳의 수를 써 보세요.

점원

• 라면 코너가 있는 곳은 세 자리 수야.
• 백의 자리 숫자는 6보다 크고 8보다 작아.
• 십의 자리 숫자가 나타내는 값은 20이야.
• 일의 자리 숫자가 나타내는 값은 5야.

(   )

1 10원짜리 동전이 다음과 같이 있습니다. 100원이 되려면 10원짜리 동전은 몇 개 더 있어야 할까요?

(1)

◻개

(2)

◻개

2 성훈이의 저금통에는 600원이 들어 있습니다. 이 저금통의 돈이 1000원이 되게 모으려면 매일 100원씩 며칠을 더 모아야 할까요?

(　　　　　　　　　　　)

2 여러 가지 도형

단원과 관련된 여러 가지 모양이 생긴 이유를 살펴보아요.

여러 가지 모양이 생긴 이유

기원전 1650년경 고대 이집트는 나일강을 중심으로 문명이 발전하였습니다. 나일강은 매년 정기적으로 범람하기 때문에 그 주위 토지는 풍부한 영양분을 품을 수 있었고 그것은 풍년으로 이어졌습니다. 하지만 사람들은 매년 땅을 많이 가지기 위해 싸움이 일어났고 나라에서는 정확한 세금을 거두는 문제로 고민을 하였습니다.

때문에 서기관은 나일강이 범람 후에는 농민들에게 땅을 나누어 주기 위해 측량이 필요해졌고, 지금과 같이 여러 가지 모양이 생기게 되었습니다.

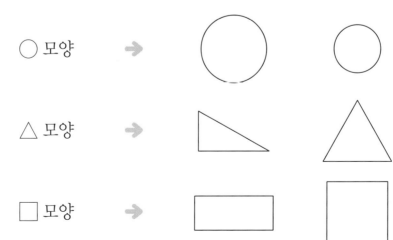

○ 모양 ➡

△ 모양 ➡

□ 모양 ➡

물건의 아랫부분을 본뜬 모양을 알맞게 이어 보세요.

·   ·   ·

·   ·   ·

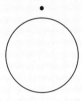 

□, △, ○ 모양을 이용하여 토끼의 얼굴을 만들어 보세요.

개념 1 ◯ 알아보기

그림과 같은 모양의 도형을 원이라고 합니다.

- 원의 특징

  ① 어느 쪽에서 보아도 똑같이 동그란 모양입니다.

  ② 뾰족한 부분이 없습니다.

  ③ 곧은 선이 없고, 굽은 선으로 이어져 있습니다.

  ④ 크기는 다르지만 생긴 모양이 서로 같습니다.

개념 2 △ 과 □ 알아보기

그림과 같은 모양의 도형을 삼각형이라고 합니다.

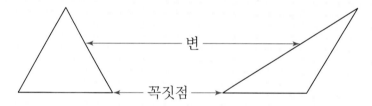

- 삼각형의 특징

  ① 곧은 선들로 둘러싸여 있습니다.

  ② 변이 3개, 꼭짓점이 3개입니다.

그림과 같은 모양의 도형을 사각형이라고 합니다.

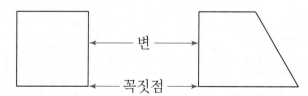

- 사각형의 특징

  ① 곧은 선들로 둘러싸여 있습니다.

  ② 변이 4개, 꼭짓점이 4개입니다.

개념 확인 문제

1 원을 모두 찾아 ○표 하세요.

2-1 □ 안에 알맞은 말을 써넣으세요.

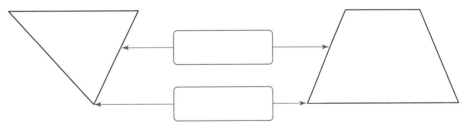

2-2 도형을 보고 알맞은 수에 ○표 하세요.

(1)
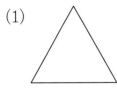

- 삼각형은 변이 (3 , 4)개입니다.
- 삼각형은 꼭짓점이 (3 , 4)개입니다.

(2)

- 사각형은 변이 (3 , 4)개입니다.
- 사각형은 꼭짓점이 (3 , 4)개입니다.

개념 3 칠교판으로 모양 만들기

• 칠교판 조각은 삼각형이 5개, 사각형이 2개입니다.

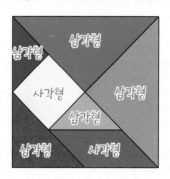

• 칠교판 조각을 이용하여 삼각형과 사각형을 만들 수 있습니다.

칠교판 조각	삼각형	사각형

개념 4 ⬠과 ⬡ 알아보기

그림과 같은 모양의 도형을 오각형이라고 합니다.

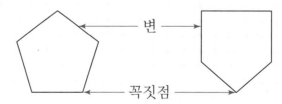

➡ 오각형은 변이 5개, 꼭짓점이 5개입니다.

그림과 같은 모양의 도형을 육각형이라고 합니다.

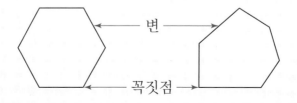

➡ 육각형은 변이 6개, 꼭짓점이 6개입니다.

개념 확인 문제

3 칠교판을 보고 물음에 답하세요.

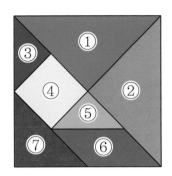

(1) 칠교판 조각에서 삼각형과 사각형을 각각 찾아 번호를 써넣으세요.

삼각형	사각형

(2) 칠교판의 조각에는 삼각형과 사각형이 각각 몇 개 있을까요?

삼각형 (   ), 사각형 (   )

4-1 도형을 보고 빈칸에 알맞은 수나 말을 써넣으세요.

도형		
변의 수		
꼭짓점의 수		
도형의 이름		

4-2 오각형과 육각형을 각각 완성해 보세요.

오각형

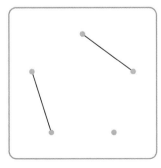

육각형

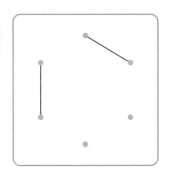

개념 5 똑같은 모양으로 쌓기

- 쌓기나무로 쌓은 모양을 보고 똑같이 쌓기

  주어진 모양과 똑같은 모양으로 쌓으려면 쌓기나무의 전체적인 모양, 쌓기나무의 수, 쌓기나무를 놓은 위치나 방향, 쌓기나무의 층수를 생각해야 합니다.

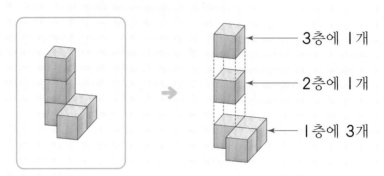

3층에 1개

2층에 1개

1층에 3개

➡️ 쌓기나무의 수: 3＋1＋1＝5(개)
1층   2층   3층

- 똑같은 모양 찾기

  쌓기나무를 놓은 위치와 바라본 방향이 달라도 뒤집거나 돌렸을 때 모양이 같으면 서로 같은 모양입니다.

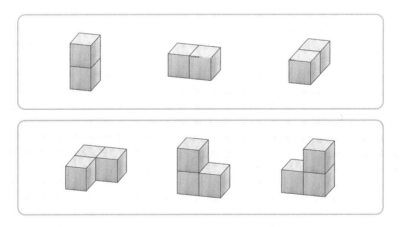

- 쌓은 모양에서 위치 알아보기

빨간색 쌓기나무의
오른쪽에 있는 쌓기나무

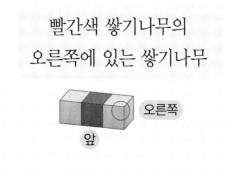

오른쪽

앞

빨간색 쌓기나무의
위에 있는 쌓기나무

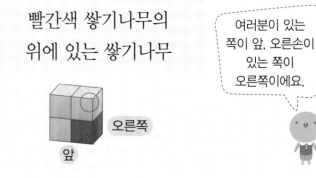

오른쪽

앞

여러분이 있는
쪽이 앞, 오른손이
있는 쪽이
오른쪽이에요.

개념 확인 문제

5-1 같은 모양끼리 이어 보세요.

 ·

·

 ·

·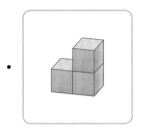

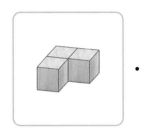 ·

·

5-2 다음에서 설명하는 쌓기나무를 찾아 ○표 하세요.

(1) 빨간색 쌓기나무의 오른쪽에 있는 쌓기나무

(2) 빨간색 쌓기나무의 위에 있는 쌓기나무

(3) 빨간색 쌓기나무의 앞에 있는 쌓기나무

개념 **6** 여러 가지 모양으로 쌓기

- 주어진 쌓기나무 개수로 여러 가지 모양 만들기

   (1) 쌓기나무 **3**개로 여러 가지 모양 만들기

   (2) 쌓기나무 **4**개로 여러 가지 모양 만들기

   (3) 쌓기나무 **5**개로 여러 가지 모양 만들기

- 쌓기나무로 쌓은 모양 설명하기

설명하기 **1**층에 쌓기나무 **3**개가 옆으로 나란히 있고, 왼쪽 쌓기나무 위에 쌓기나무 **1**개가 있습니다.

설명하기 **1**층에 쌓기나무 **3**개가 옆으로 나란히 있고, 가운데 쌓기나무 위에 쌓기나무 **2**개가 더 있습니다.

개념 확인 문제

6-1 쌓기나무 3개로 만든 모양에 ○표 하세요.

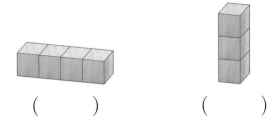

(   )   (   )

6-2 쌓기나무 4개로 만들 수 <u>없는</u> 모양의 기호를 써 보세요.

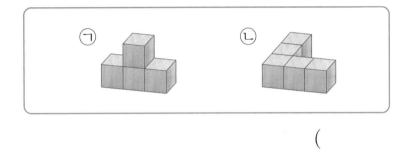

(   )

6-3 쌓기나무 5개로 만든 모양을 찾아 ○표 하세요.

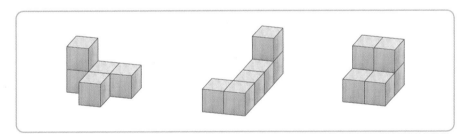

6-4 쌓기나무로 쌓은 모양을 바르게 설명하는 말에 ○표 하세요.

쌓기나무 3개가 옆으로 나란히 있고, 왼쪽과 오른쪽 쌓기나무
(위 , 앞 , 뒤)에 쌓기나무가 각각 1개씩 있습니다.

교과서 개념 스토리　도형 만들기

준비물 붙임딱지

칠교판 조각 붙임딱지를 이용하여 삼각형, 사각형, 오각형, 육각형을 만들어 보고, 각 도형의 변과 꼭 짓점의 수를 세어 보세요.

삼각형

삼각형은 변이 ☐개, 꼭짓점이 ☐개입니다.

사각형

사각형은 변이 ☐개, 꼭짓점이 ☐개입니다.

오각형은 변이 ☐ 개, 꼭짓점이 ☐ 개입니다.

육각형

육각형은 변이 ☐ 개, 꼭짓점이 ☐ 개입니다.

준비물 붙임딱지

주어진 모양에 쌓기나무 1개를 더 붙여서 서로 다른 모양을 만들어 보세요.

쌓기나무로 만든 사물 모양 붙임딱지를 붙여
마을을 꾸며 보세요.

비행기 모양

모자 모양

분수대 모양

나무 모양

자동차 모양

버스 모양

개념 1   원 알아보기

01   원은 모두 몇 개일까요?

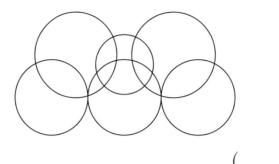

(   )

02   주변에 있는 물건이나 모양 자를 이용하여 크기가 서로 <u>다른</u> 원을 2개 그려 보세요.

03   원에 적힌 수의 합을 구해 보세요.

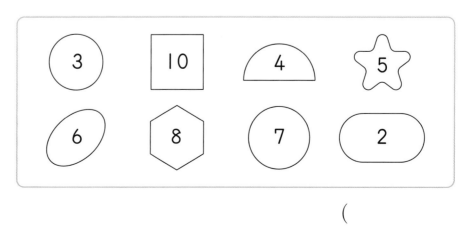

(   )

개념② 삼각형과 사각형 알아보기

04 색종이를 점선을 따라 자르려고 합니다. 삼각형과 사각형은 각각 몇 개씩 만들어지는지 구해 보세요.

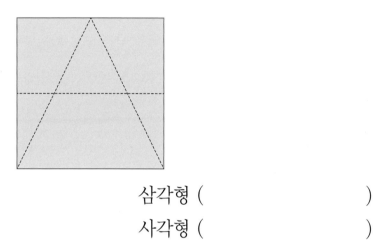

삼각형 (   )

사각형 (   )

05 도형을 보고 빈칸에 알맞은 수나 말을 써넣으세요.

도형	△	□
변의 수		
꼭짓점의 수		
도형의 이름		

06 주어진 선을 한 변으로 하는 삼각형과 사각형을 각각 2개씩 그려 보세요.

삼각형   사각형

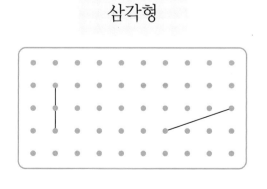 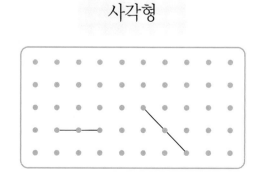

개념**3** 칠교판으로 모양 만들기

07 칠교판에 대한 설명으로 <u>틀린</u> 것을 찾아 기호를 써 보세요.

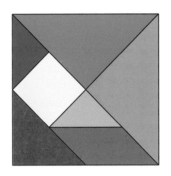

㉠ 칠교판 조각은 모두 **7**개입니다.
㉡ 칠교판 조각 중 삼각형은 **4**개입니다.
㉢ 칠교판 조각 중 크기가 가장 큰 조각은 삼각형입니다.

(   )

08 칠교판의 ◣ , ◢ , ◸ 세 조각을 모두 이용하여 삼각형과 사각형을 각각 만들어 보세요.

삼각형	사각형
△	▭

09 칠교판의 다섯 조각을 모두 이용하여 오른쪽 모양을 만들어 보세요.

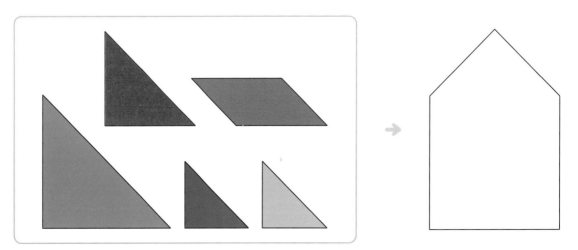

개념4 오각형과 육각형 알아보기

10 그림에서 찾을 수 있는 도형의 이름을 써 보세요.

(1)

(　　　　　　　)

(2)

(　　　　　　　)

11 도형을 보고 물음에 답하세요.

가 　　　 나 　　　 다 　　　 라

마 　　　 바 　　　 사 　　　 아

(1) 오각형을 모두 찾아 기호를 써 보세요.

(　　　　　　　)

(2) 육각형을 모두 찾아 기호를 써 보세요.

(　　　　　　　)

12 다음 설명을 읽고 맞으면 ○표, 틀리면 ×표 하세요.

(1) 오각형은 곧은 선들로 둘러싸여 있습니다. 　　　 (　　)

(2) 육각형은 변이 **5**개, 꼭짓점이 **6**개입니다. 　　　 (　　)

(3) 오각형은 육각형보다 꼭짓점의 수가 적습니다. 　　 (　　)

개념5 똑같은 모양으로 쌓기

13 다음과 똑같은 모양으로 쌓으려면 쌓기나무가 각각 몇 개 필요할까요?

(1) 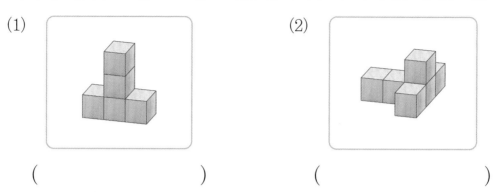 (2)

(   )   (   )

14 왼쪽 모양을 오른쪽과 똑같은 모양으로 쌓으려면 몇 개의 쌓기나무가 더 필요할까요?

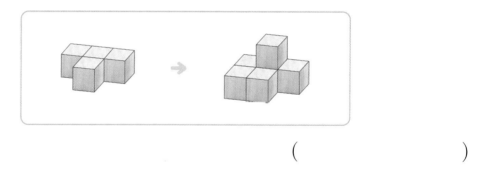

(   )

15 왼쪽 모양에서 쌓기나무 1개를 빼내어 오른쪽과 똑같은 모양을 만들려고 합니다. 빼내야 할 쌓기나무를 찾아 번호를 써 보세요.

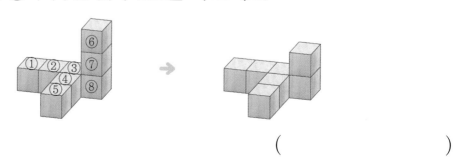

(   )

개념6 여러 가지 모양으로 쌓기

16 쌓기나무 5개로 만들 수 있는 모양을 모두 찾아 기호를 써 보세요.

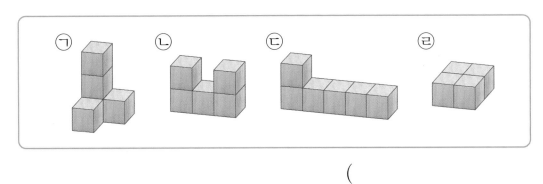

(   )

17 어떤 모양을 생각하며 쌓은 것인지 이어 보세요.

 ·

·

 ·

·

18 쌓기나무로 쌓은 모양을 바르게 나타내도록 보기에서 알맞은 말을 골라 ☐ 안에 써넣으세요.

보기

위,   앞,   뒤,   왼쪽,   오른쪽

(1)

오른쪽

앞

→ |층에 쌓기나무 **3**개가 옆으로 나란히 있고, 오른쪽 쌓기나무의 ☐ 에 쌓기나무 |개가 있습니다.

(2)

오른쪽

앞

→ |층에 쌓기나무 **3**개가 옆으로 나란히 있고, 왼쪽 쌓기나무의 ☐ 에 쌓기나무 |개가 있습니다.

★ 도형의 특징 알아보기

1 다음에서 설명하는 도형의 이름을 써 보세요.

> • 사각형보다 꼭짓점이 많습니다.
> • 육각형보다 변이 적습니다.

답 _____

개념 피드백
① 사각형의 꼭짓점은 4개입니다.
② 육각형의 변은 6개입니다.

1-1 다음에서 설명하는 도형의 이름을 써 보세요.

> • 곧은 선들로 둘러싸여 있습니다.
> • 뾰족한 부분이 있습니다.
> • 변과 꼭짓점의 수의 합이 **8**입니다.

(   )

1-2 원의 특징이 <u>아닌</u> 것을 찾아 기호를 써 보세요.

> ㉠ 꼭짓점과 변이 없습니다.
> ㉡ 어느 쪽에서 보아도 똑같은 모양입니다.
> ㉢ 크기는 항상 같습니다.
> ㉣ 곧은 선이 없습니다.

(   )

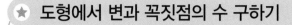
★ 도형에서 변과 꼭짓점의 수 구하기

2 삼각형의 꼭짓점의 수와 오각형의 변의 수의 합은 모두 몇 개일까요?

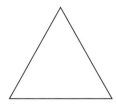 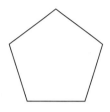

답 _____

 개념 피드백
① ■각형에서 ■는 꼭짓점의 수를 나타냅니다.
② ■각형에서 ■는 변의 수를 나타냅니다.

2-1 도형을 보고 ☐ 안에 알맞은 수를 써넣으세요.

나는 삼각형보다 꼭짓점이 ☐ 개 더 많은 도형입니다.

나는 삼각형보다 변이 ☐ 개 더 많은 도형입니다.

2-2 ㉮와 ㉯의 합을 구해 보세요.

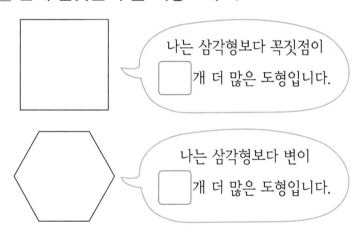

- 사각형은 변이 ㉮개입니다.
- 오각형은 꼭짓점이 ㉯개입니다.

(   )

★ **쌓은 쌓기나무의 수 비교하기**

3 쌓은 쌓기나무의 수가 많은 것부터 차례로 기호를 써 보세요.

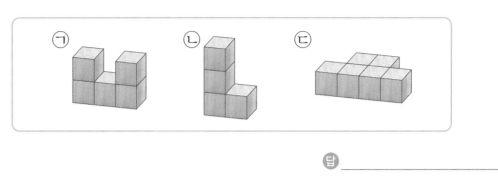

답 _____

> **개념 피드백** • 각 모양의 쌓기나무의 수를 구한 다음 쌓기나무의 수를 비교합니다.

3-1 쌓은 쌓기나무의 수가 <u>다른</u> 하나를 찾아 기호를 써 보세요.

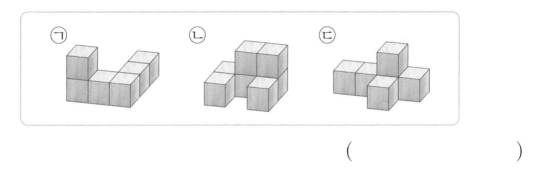

(   )

3-2 왼쪽 모양을 오른쪽 모양과 똑같이 만들려고 합니다. 쌓기나무는 몇 개 더 필요할까요?

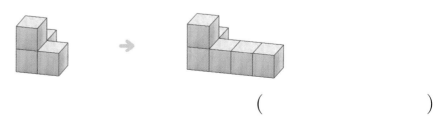

(   )

★ 모양을 만드는 데 사용한 도형의 수 구하기

4 여러 가지 도형을 사용하여 만든 모양입니다. 가장 많이 사용한 도형은 무엇이고, 몇 개를 사용하였는지 써 보세요.

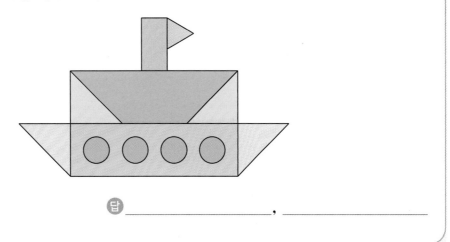

답 ＿＿＿＿＿＿＿＿ , ＿＿＿＿＿＿＿＿

개념 피드백
① 사용한 도형은 각각 몇 개인지 세어 봅니다.
② 도형의 수를 셀 때 중복되거나 빠뜨리지 않도록 주의합니다.

4-1 여러 가지 도형을 사용하여 만든 모양입니다. 각 도형의 개수를 세어 빈칸에 알맞은 수를 써넣으세요.

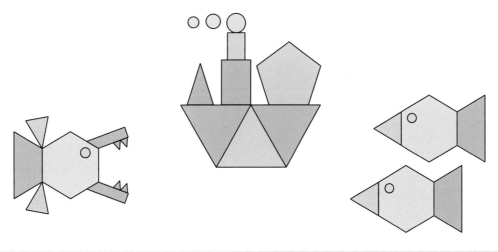

도형	원	삼각형	사각형	오각형	육각형
도형의 수(개)					

★ 크고 작은 삼각형 또는 사각형의 수 구하기

5 그림에서 찾을 수 있는 크고 작은 사각형은 모두 몇 개인지 구해 보세요.

답 _____

개념 피드백 ① 작은 사각형 1개짜리, 2개짜리, 3개짜리로 나누어서 각각 수를 세어 봅니다.
② ①에서 구한 수를 모두 더합니다.

5-1 그림에서 찾을 수 있는 크고 작은 삼각형은 모두 몇 개인지 구해 보세요.

(1)

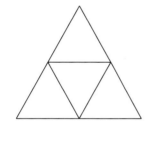

( )

(2)

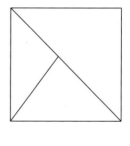

( )

5-2 그림에서 찾을 수 있는 크고 작은 사각형은 모두 몇 개일까요?

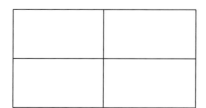

( )

★ 도형 그리기

6 다음 설명에 맞는 도형을 그려 보세요.

- 변이 **4**개입니다.
- 도형의 안쪽에 점이 **6**개 있습니다.

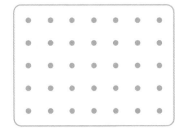

개념 피드백 ① 사각형이 되도록 4개의 점을 정한 후 곧은 선으로 이어 그립니다.
② 그린 도형의 안쪽에 놓인 점의 수가 6개인지 확인합니다.

6-1 다음 설명에 맞는 도형을 그려 보세요.

- 변이 **3**개입니다.
- 도형의 안쪽에 점이 **3**개 있습니다.

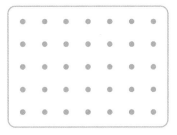

6-2 다음 설명에 맞는 도형을 그려 보세요.

- 변이 **5**개입니다.
- 도형의 안쪽에 점이 **8**개 있습니다.

 1 다음 도형은 사각형이 아닙니다. 사각형이 <u>아닌</u> 이유를 설명해 보세요.

해결하기 사각형은 (곧은 , 굽은) 선 ☐ 개로 둘러싸여 있습니다.

주어진 도형은 (곧은 , 굽은) 선이 있으므로 사각형이 아닙니다.

2 다음 도형은 육각형이 아닙니다. 육각형이 <u>아닌</u> 이유를 설명해 보세요.

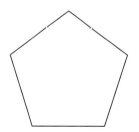

해결하기

3 쌓기나무로 쌓은 모양을 설명해 보세요.

오른쪽

앞

해결하기   1층에 쌓기나무 ☐ 개가 옆으로 나란히 있고, 가장 왼쪽 쌓기나무의

(위 , 앞)에 쌓기나무가 ☐ 개 있고, 가장 (오른쪽 , 왼쪽) 쌓기나무의

(앞 , 뒤)에 쌓기나무가 ☐ 개 있습니다.

4 쌓기나무로 쌓은 모양을 설명해 보세요.

오른쪽

앞

해결하기

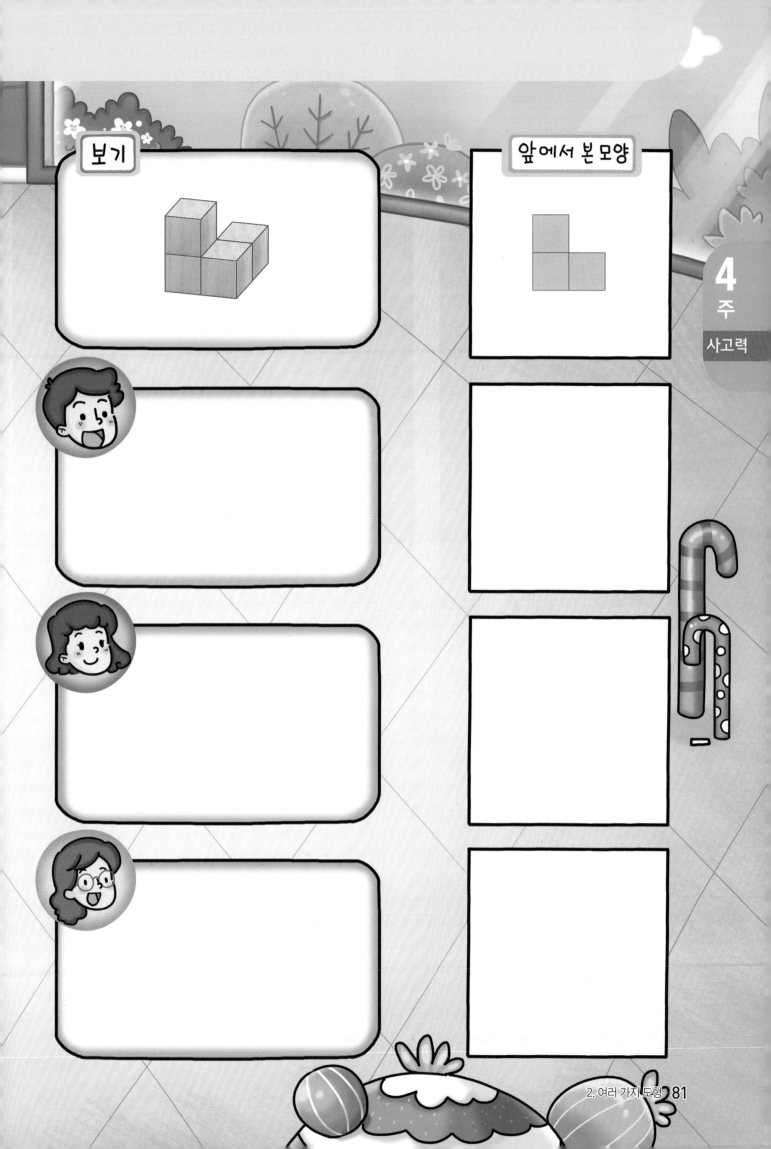

앞에서 본 모양

4
주

사고력

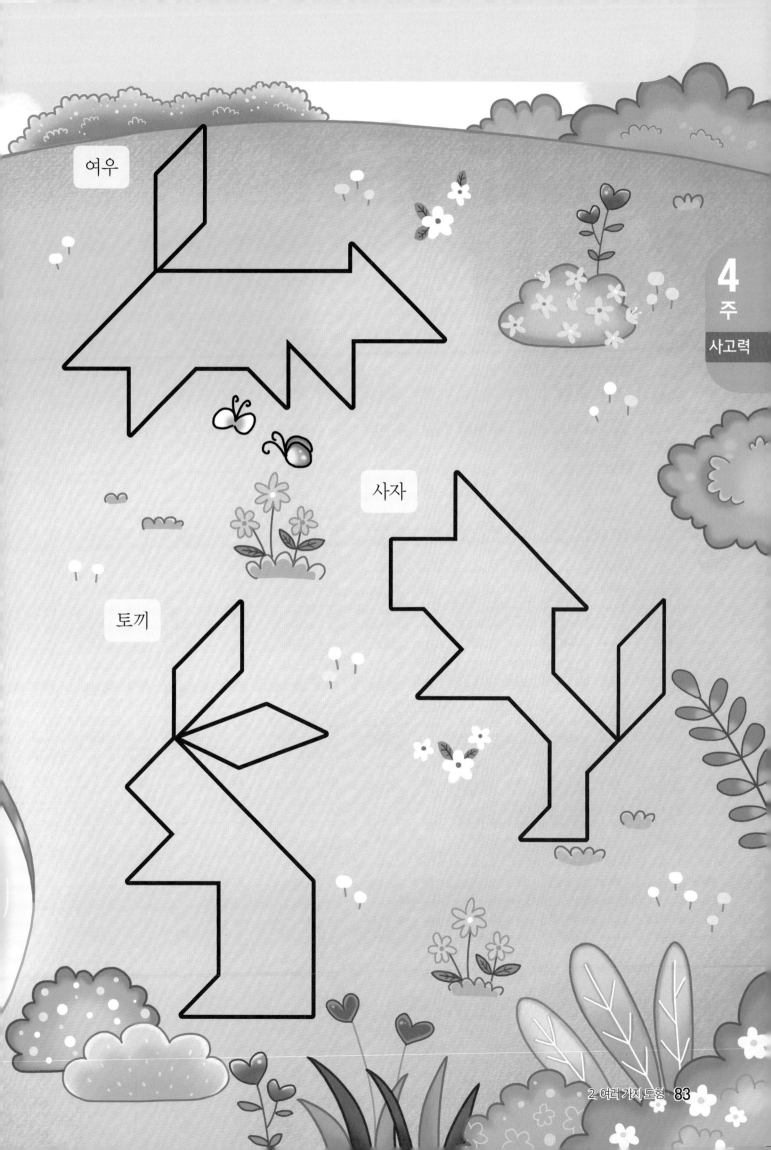

여우

사자

토끼

여우

1 각 나라 국기에서 찾을 수 있는 도형을 모두 찾아 ○표 하고, 찾을 수 있는 도형의 수가 콩고 공화국과 같은 나라의 이름을 써 보세요.

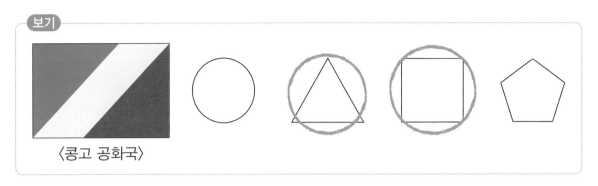

〈콩고 공화국〉

1 각 나라 국기에서 찾을 수 있는 도형을 모두 찾아 ○표 하세요.

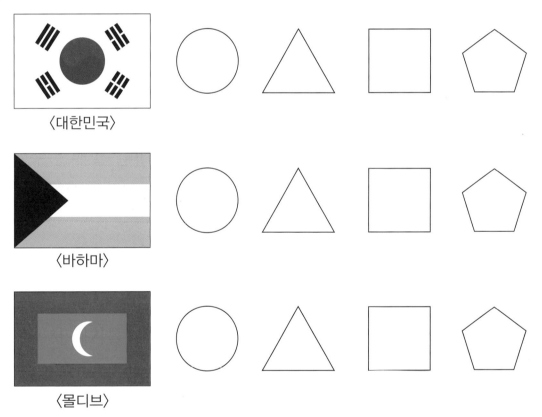

〈대한민국〉

〈바하마〉

〈몰디브〉

2 각 나라 국기에서 찾을 수 있는 도형의 수가 콩고 공화국과 같은 나라의 이름을 써 보세요.

(   )

2 토끼와 거북은 배를 타고 집으로 가려고 합니다. 칠교판의 일곱 조각을 모두 이용하여 배와 집 모양을 완성해 보세요.

준비물 ◆ 붙임딱지

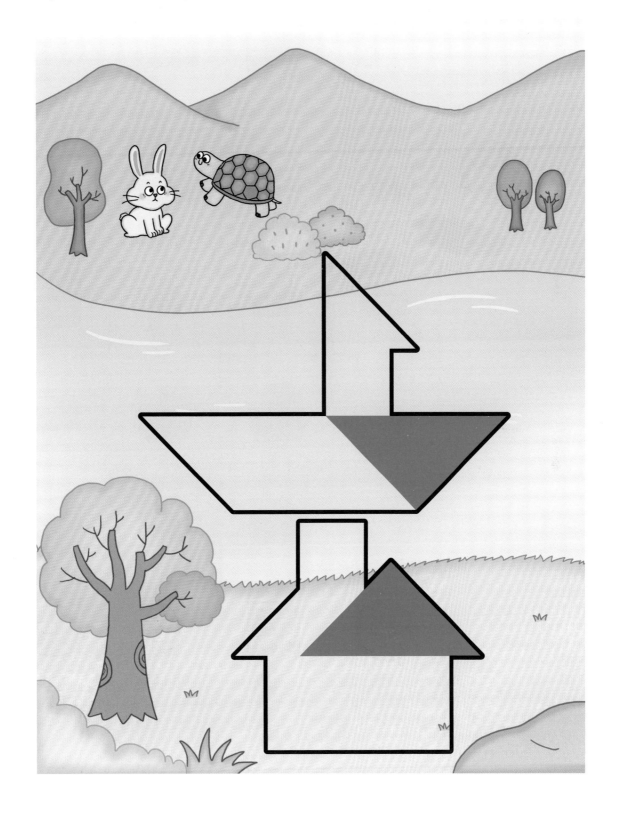

3 세형이가 다음 모양이 되풀이되는 규칙으로 길을 따라가면 좋아하는 간식을 먹을 수 있습니다. 세형이가 마지막으로 도착한 곳에 있는 간식을 써 보세요.

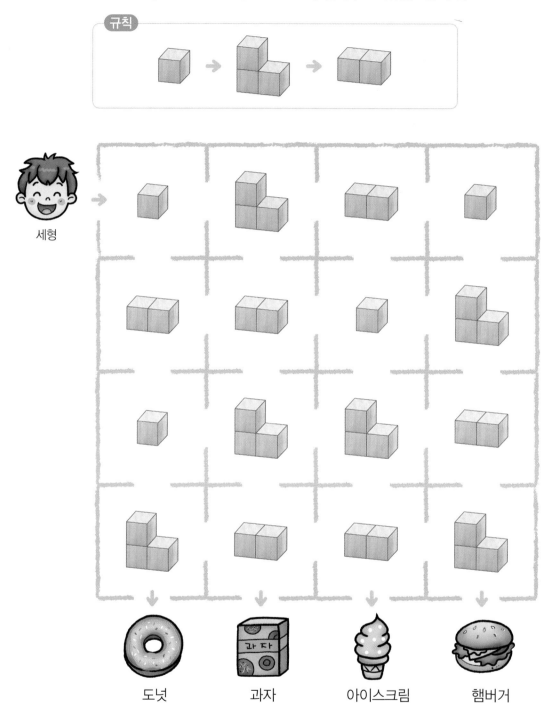

① 규칙 에 따라 길을 따라가 보세요.

② 세형이가 마지막으로 도착한 곳에 있는 간식을 써 보세요.

( )

4 보기와 같이 쌓기나무로 쌓은 모양을 보고 오른쪽 빈칸에 알맞은 수를 써넣고 쌓은 쌓기나무는 몇 개인지 구해 보세요.

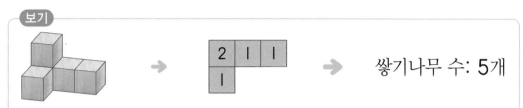

- 보기
- ▭은 쌓기나무로 쌓은 모양을 위에서 본 그림입니다.
- 각 칸의 숫자는 각 칸에 쌓은 쌓기나무의 수입니다.

①

(   )

②
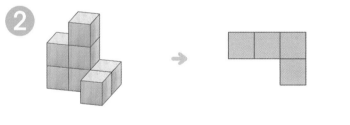

(   )

③
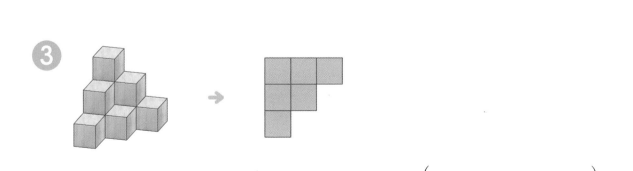

(   )

1 <u>규칙</u>에 따라 빈 곳에 알맞은 도형을 그려 보세요.

①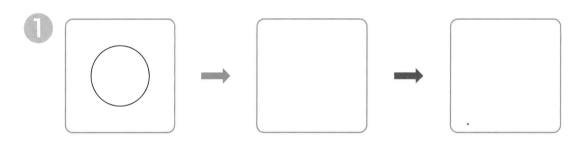

②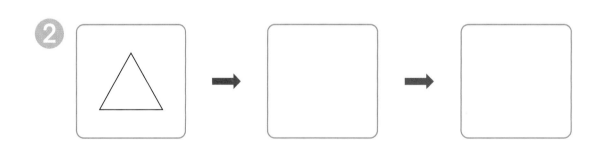

③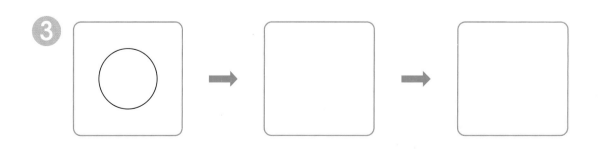

2 칠교판 붙임딱지를 모두 한 번씩 이용하여 [보기]와 같이 주어진 숫자를 만들어 보세요.

준비물 : 붙임딱지

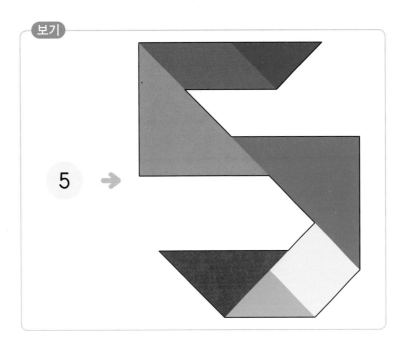

4 주

사고력

❶ 7 ❷ 8

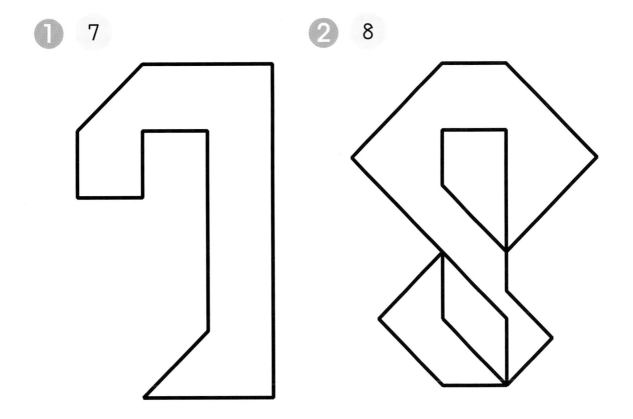

3 규칙에 따라 알맞은 수를 찾아 이어 보세요.

규칙

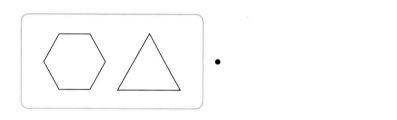

4 다음과 같은 규칙으로 쌓기나무를 쌓을 때 빈 곳에 알맞은 쌓기나무는 몇 개일까요?

①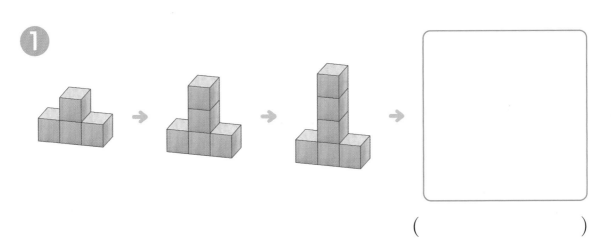

(   )

②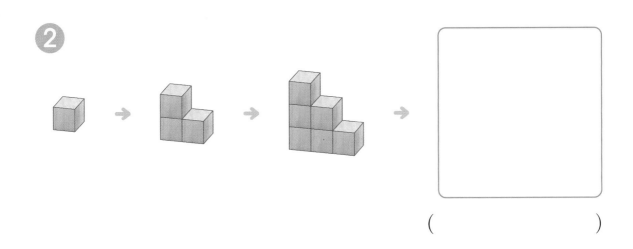

(   )

③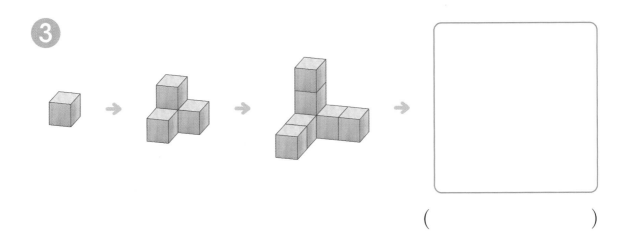

(   )

평가 영역 ☐개념 이해력 ☐개념 응용력 ☑창의력 ☐문제 해결력

1 다음 점들을 이어서 그릴 수 있는 사각형은 모두 몇 개인지 구해 보세요.

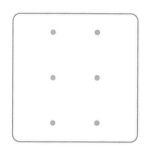

① 찾을 수 있는 서로 다른 모양의 사각형을 모두 그리고 각각 몇 개씩 그릴 수 있는지 ☐ 안에 알맞은 수를 써넣으세요.

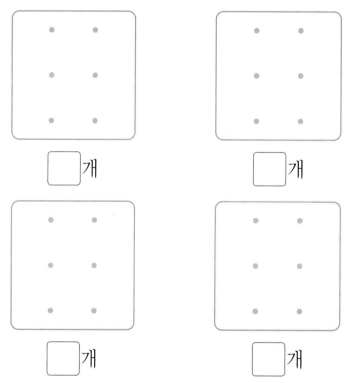

② 점들을 이어서 그릴 수 있는 사각형은 모두 몇 개일까요?

(   )

평가 영역 ☐개념 이해력 ☐개념 응용력 ☐창의력 ☑문제 해결력

2 그림에서 찾을 수 있는 크고 작은 사각형은 모두 몇 개일까요?

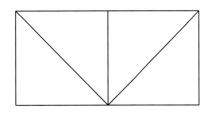

(   )

평가 영역 ☐개념 이해력 ☐개념 응용력 ☑창의력 ☐문제 해결력

3 왼쪽의 모양은 2가지 쌓기나무 모양을 붙여 만든 모양입니다. 보기와 같이 사용한 모양을 모두 찾아 ○표 하세요.

보기

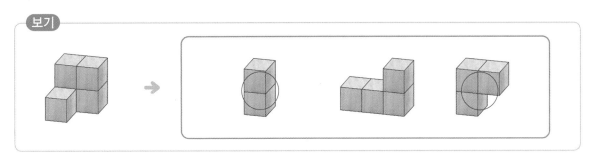

①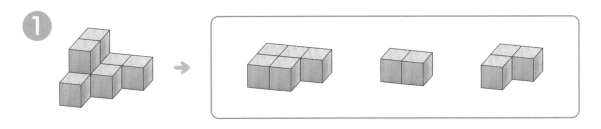

②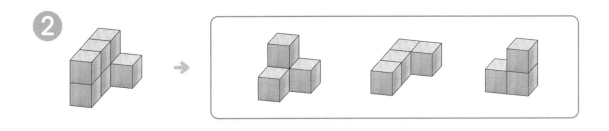

1 원을 이용하여 재미있는 그림을 그려 보세요.

2 오각형과 육각형의 같은 점을 모두 찾아 기호를 써 보세요.

㉠ 곧은 선들로 둘러싸여 있습니다.
㉡ 변이 5개입니다.
㉢ 꼭짓점이 6개입니다.
㉣ 뾰족한 부분이 있습니다.

(　　　　　　　　　　　　　)

3 오각형과 육각형을 각각 1개씩 그려 보세요.

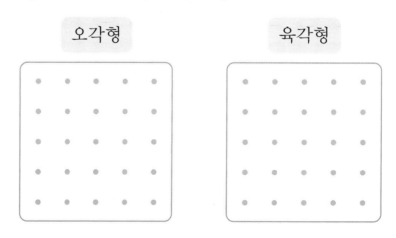

4 똑같은 모양으로 쌓으려면 필요한 쌓기나무는 모두 몇 개일까요?

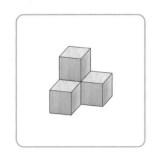

(   )

5 보기의 세 조각을 모두 이용하여 다음 모양을 만들어 보세요.

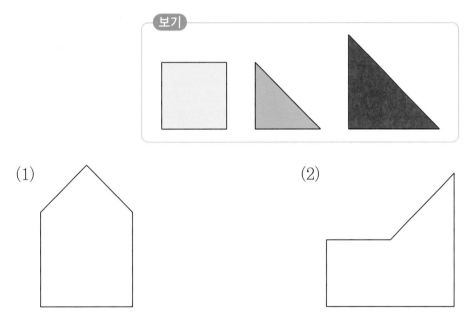

(1)

(2)

6 쌓기나무 모양을 주어진 조건에 맞게 색칠해 보세요.

조건
- 빨간색 쌓기나무 위에 파란색 쌓기나무
- 빨간색 쌓기나무 오른쪽에 초록색 쌓기나무
- 초록색 쌓기나무 뒤에 노란색 쌓기나무

오른쪽

앞

7 ㉠+㉡+㉢의 값을 구해 보세요.

> ㉠ 삼각형의 꼭짓점의 수
> ㉡ 오각형의 변의 수
> ㉢ 원의 꼭짓점의 수

(   )

8 쌓은 모양을 바르게 나타내도록 보기 에서 알맞은 말이나 수를 골라 □ 안에 써넣으세요.

> 보기
> 위,   앞,   뒤,   1,   2,   3

오른쪽

앞

쌓기나무 3개가 옆으로 나란히 있고, 가운데 쌓기나무 □에 쌓기나무 □개가 있고, 오른쪽 쌓기나무 □에 쌓기나무 1개가 있습니다.

9 그림에서 찾을 수 있는 크고 작은 삼각형은 모두 몇 개일까요?

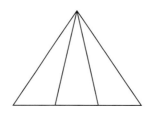

(   )

10 왼쪽 모양에서 쌓기나무 1개를 옮겨 오른쪽과 똑같은 모양을 만들려고 합니다. 옮겨야 할 쌓기나무를 찾아 기호를 써 보세요.

(   )

4
주
평가

[11~12] 칠교판을 보고 물음에 답하세요.

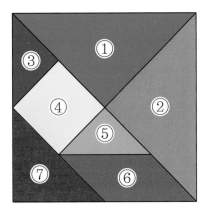

11 칠교판 조각은 삼각형과 사각형 중 어느 도형이 몇 개 더 많을까요?

(   ),(   )

12 칠교판 조각 4개를 이용하여 다음 삼각형을 만들어 보세요.

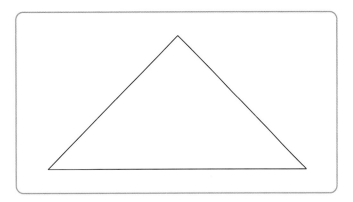

13 진주가 여러 가지 도형으로 만든 모양입니다. 변이 4개인 도형은 모두 몇 개 사용하였을까요?

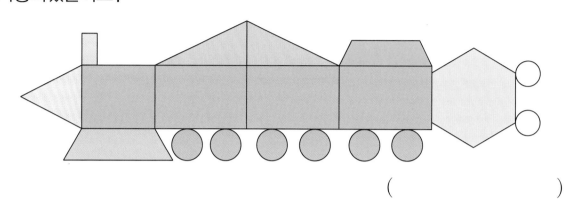

(   )

14 쌓기나무로 쌓은 모양을 설명해 보세요.

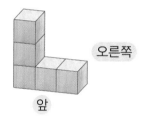

오른쪽

앞

설명

_____

_____

15 왼쪽 모양은 똑같은 쌓기나무 모양을 2개 붙여서 만든 모양입니다. 사용한 모양을 찾아 기호를 써 보세요.

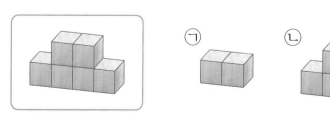

ㄱ   ㄴ   ㄷ

(   )

정답과 풀이 p.24

준비물 붙임딱지

1 토끼 마을에서 당근을 수확하였습니다. 수확한 당근의 수는 다음 규칙과 같습니다. 규칙을 찾아 빈 곳에 알맞은 수를 써넣고 당근 붙임딱지를 붙여 보세요.

4
주

평가

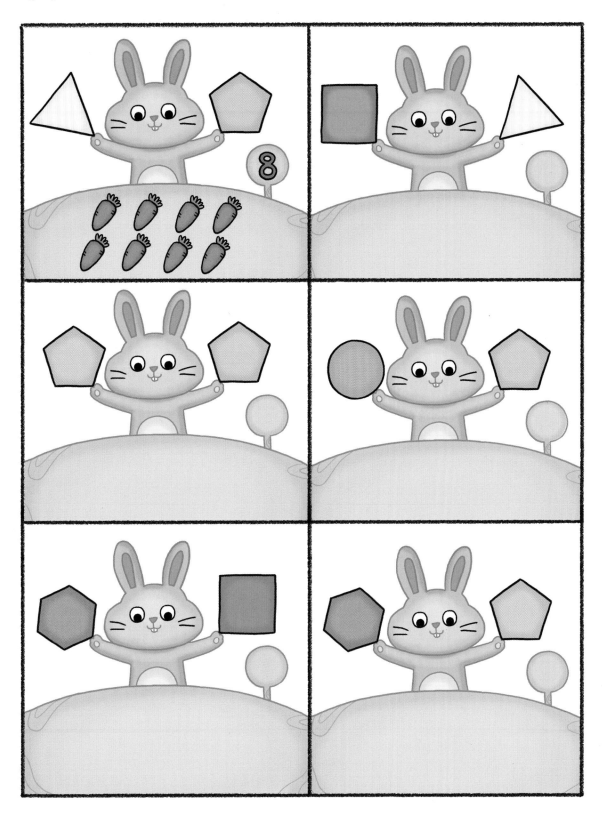

Memo

2-1 Run - A호 Play 붙임딱지

문제의 알맞은 곳에 붙임딱지를 붙여보세요.

5쪽

14~15쪽

16~17쪽

    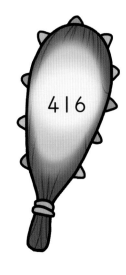

354 363 373 396 416

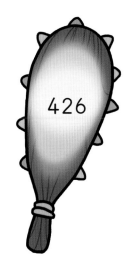 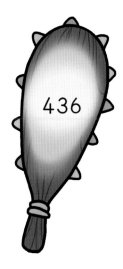 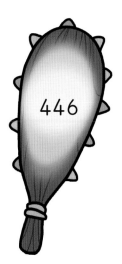 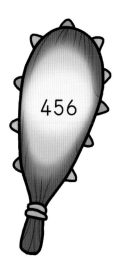 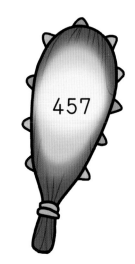

426 436 446 456 457

0	0	0	0	0	0	0	2	2	2
2	2	2	2	2	2	2	2	2	2	6	6
6	6	6	6	6	6	6	6	6	6	6
8	8	8	8	8	8	8	8	8	8

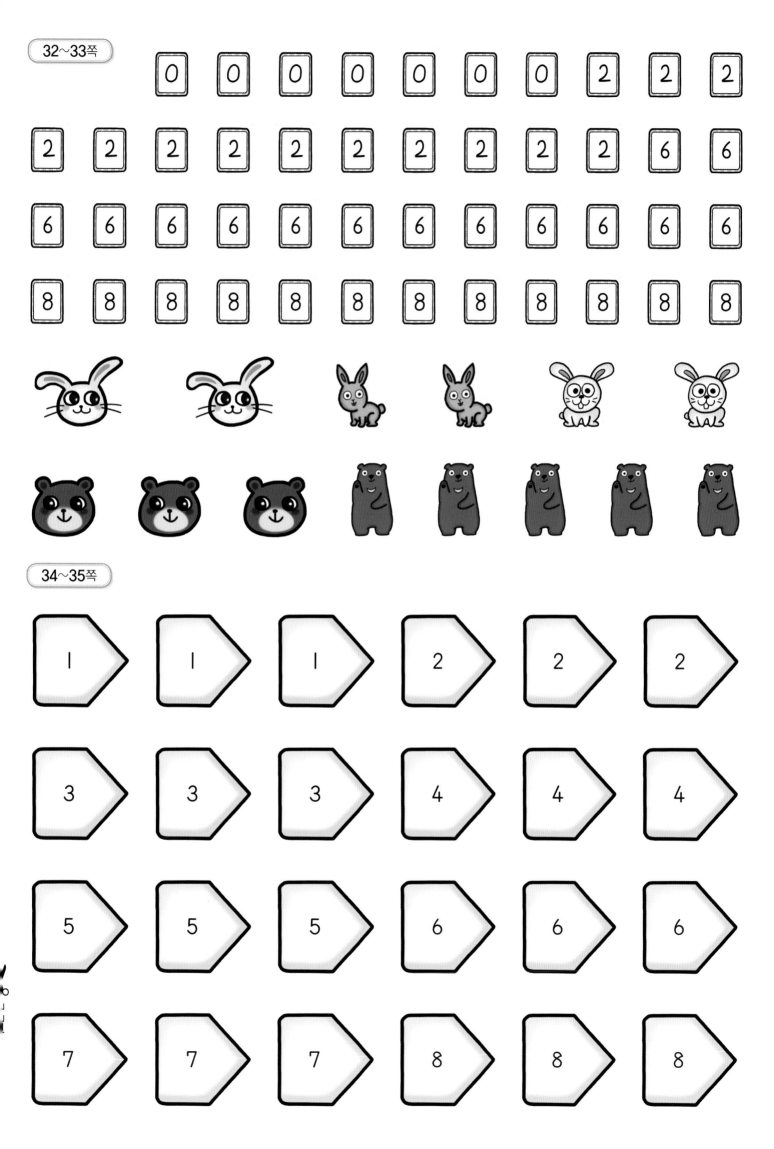

1	1	1	2	2	2
3	3	3	4	4	4
5	5	5	6	6	6
7	7	7	8	8	8

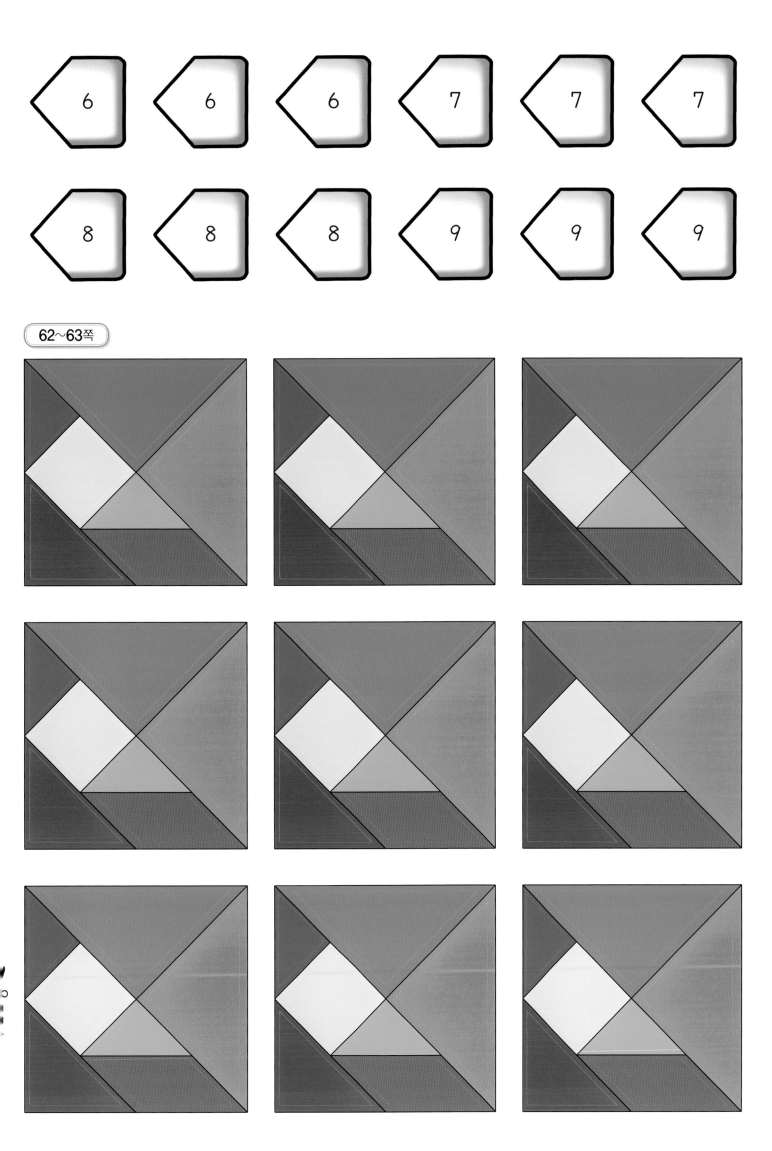

62~63쪽

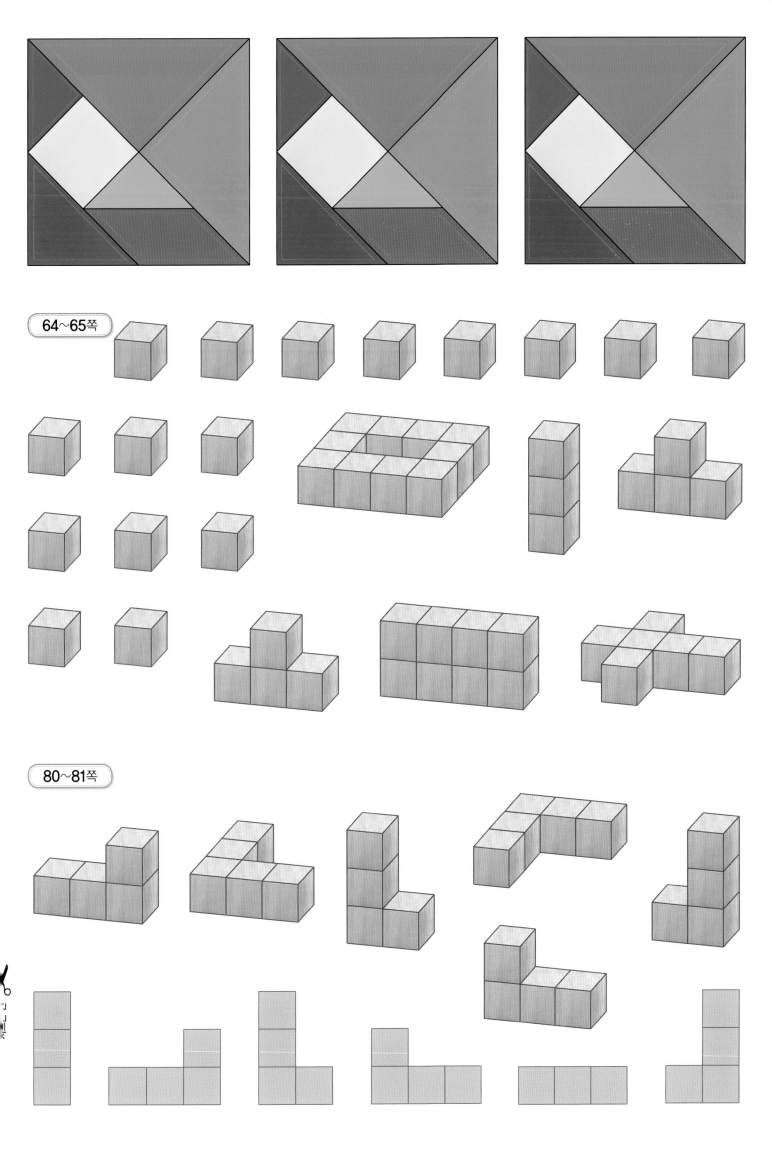

64~65쪽

80~81쪽

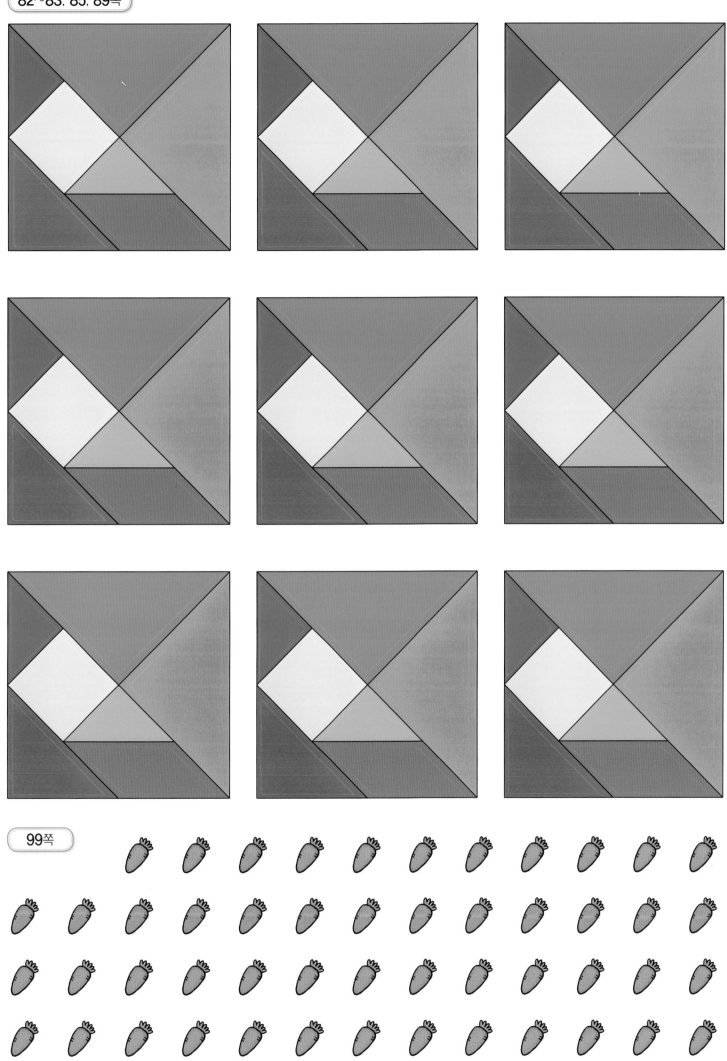

99쪽

✎ 각자 여러 가지 모양을 생각하여 만들어 보세요.

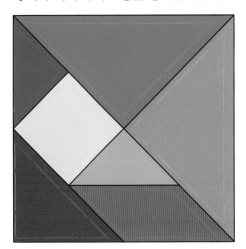
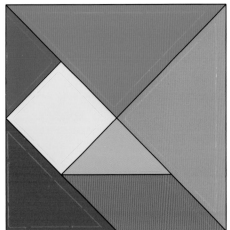
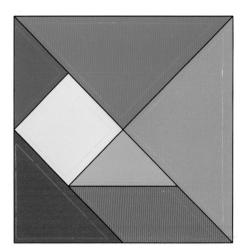

칠교판 관련 단원 2. 여러 가지 도형

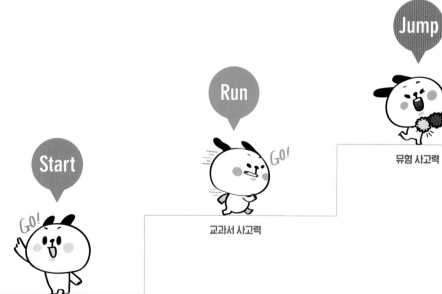

Start
교과서 개념

Run
교과서 사고력

Jump
유형 사고력

#난이도별
#천재되는_수학교재

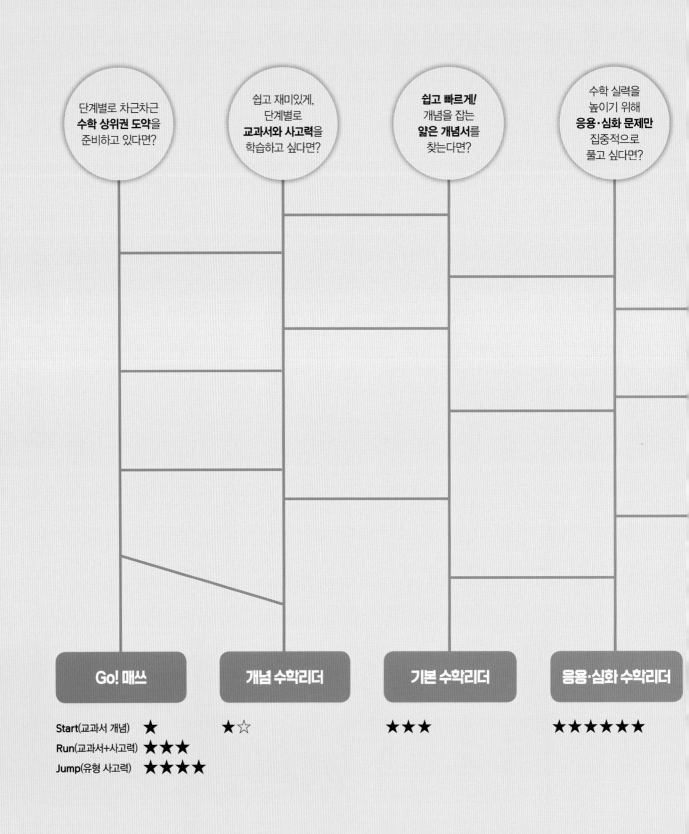

단계별로 차근차근
수학 상위권 도약을
준비하고 있다면?

쉽고 재미있게,
단계별로
교과서와 사고력을
학습하고 싶다면?

쉽고 빠르게!
개념을 잡는
얇은 개념서를
찾는다면?

수학 실력을
높이기 위해
응용·심화 문제만
집중적으로
풀고 싶다면?

Go! 매쓰

개념 수학리더

기본 수학리더

응용·심화 수학리더

Start(교과서 개념) ★
Run(교과서+사고력) ★★★
Jump(유형 사고력) ★★★★

★☆

★★★

★★★★★

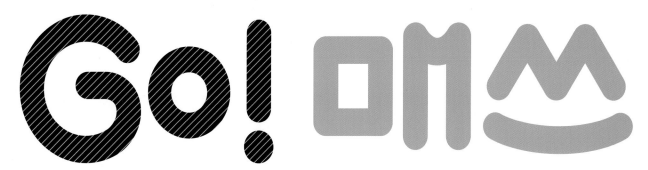

교과서 GO! 사고력 GO!

GO! 매쓰

Run-A
교과서 사고력

사고력 중심

정답과 풀이　　수학 2-1

정답과 해설
포인트 2가지

▶ 선생님이나 학부모가 쉽게 문제와 풀이를 한눈에 볼 수 있어요.

▶ 자세한 활동 수업에 대한 팁이 가득하게 들어 있어요.

1 세 자리 수

생활 속 수 이야기

주아는 매달 책을 10권씩 모아 책장에 꽂아 둡니다. 지금까지 모은 동화책은 모두 90권으로 책장 한 칸에 10권씩 꽂혀 있습니다. 이번 달에 10권을 더 모으면 주아가 가진 동화책은 모두 몇 권이 되는지 알아볼까요?

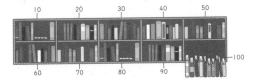

동화책을 10권 더 꽂으면 100권이 됩니다.

| 10 | 20 | 30 | 40 | 50 | 60 | 70 |
| 80 | 90 | 100 |

10씩 뛰어서 세면 십의 자리 숫자가 1씩 커집니다.

책장이 모두 꽉 찼네. 90권에서 10권이 더 많아졌으니까……

동화책이 모두 100권이구나.

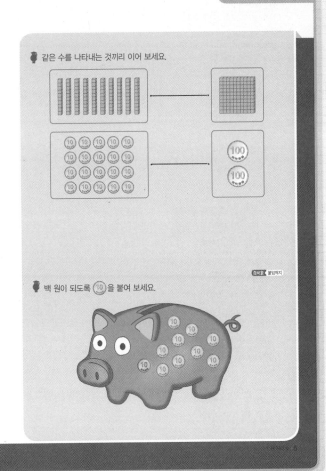

● 같은 수를 나타내는 것끼리 이어 보세요.

● 백 원이 되도록 ⑩을 붙여 보세요.

---

① 단계 교과서 개념 잡기

개념 ① 90보다 10만큼 더 큰 수 알아보기

• 90보다 10만큼 더 큰 수는 100입니다.
• 100은 백이라고 읽습니다.

100 : 99보다 1 큰 수
98보다 2 큰 수
97보다 3 큰 수
96보다 4 큰 수

• 10이 10개이면 100입니다.

100 : 1이 100개인 수

십 모형 10개 백 모형 1개

개념 ② 몇백 알아보기

• 100이 2개이면 200입니다.
200은 이백이라고 읽습니다. ⎯ 200
• 100이 3개이면 300입니다.
300은 삼백이라고 읽습니다. ⎯ 300

수	쓰기	읽기
100이 2개인 수	200	이백
100이 3개인 수	300	삼백
100이 4개인 수	400	사백
100이 5개인 수	500	오백
100이 6개인 수	600	육백
100이 7개인 수	700	칠백
100이 8개인 수	800	팔백
100이 9개인 수	900	구백

개념 확인 문제

1-1 □ 안에 알맞은 수를 써넣으세요.

10 20 30 **40** 50 60 **70** 80 **90** **100**

➡ 90보다 10만큼 더 큰 수는 **100** 입니다.

1-2 수 모형을 보고 □ 안에 알맞은 수를 써넣으세요.

십 모형	백 모형
10 개	**1** 개

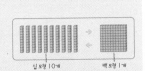

(1) 십 모형 **10** 개는 백 모형 **1** 개와 같습니다.

(2) 10이 10개이면 **100** 입니다.

2 수 모형이 나타내는 수를 쓰고 읽어 보세요.

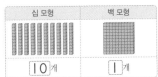

(1) 쓰기 **500** / 읽기 **오백**

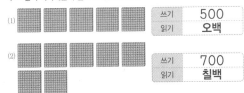

(2) 쓰기 **700** / 읽기 **칠백**

1단계 교과서 개념 잡기

개념 3 세 자리 수 알아보기

백 모형	십 모형	일 모형
100이 2개	10이 4개	1이 5개

- 100이 2개, 10이 4개, 1이 5개이면 245입니다.
  245는 이백사십오라고 읽습니다.

백 모형	십 모형	일 모형
100이 3개	10이 7개	1이 0개

- 100이 3개, 10이 7개, 1이 0개이면 370입니다.
  370은 삼백칠십이라고 읽습니다.

백 모형	십 모형	일 모형
100이 4개	10이 0개	1이 3개

- 100이 4개, 10이 0개, 1이 3개이면 403입니다.
  403은 사백삼이라고 읽습니다.
  참고 자리 숫자가 0인 경우 그 자리는 읽지 않습니다.
  208 → 이백팔, 850 → 팔백오십

8 · Run- A 2–1

개념 확인 문제

정답과 풀이 p.2

3-1 수 모형이 나타내는 수를 쓰고 읽어 보려고 합니다. □ 안에 알맞은 수나 말을 써넣으세요.

백 모형	십 모형	일 모형
100이 3 개	10이 4 개	1이 7 개

347 (이)라 쓰고 삼백사십칠 (이)라고 읽습니다.

3-2 그림이 나타내는 수를 쓰고 읽어 보세요.

(1)
쓰기 231
읽기 이백삼십일

(2)
쓰기 504
읽기 오백사

3-3 다음이 나타내는 수를 써 보세요.

100이 7개, 10이 6개, 1이 2개인 수

```
❖ 100이 7개 → 700 ┐          ( 762 )
   10이 6개 →  60 ├ 762
   1이 2개 →    2 ┘
```

1. 세 자리 수 · 9

1단계 교과서 개념 잡기

개념 4 각 자리의 숫자는 얼마를 나타내는지 알아보기

백의 자리	십의 자리	일의 자리
3	7	2

3	0	0
	7	0
		2

3은 백의 자리 숫자이고, 300을 나타냅니다.
7은 십의 자리 숫자이고, 70을 나타냅니다.
2는 일의 자리 숫자이고, 2를 나타냅니다.

372 = 300 + 70 + 2

개념 5 뛰어서 세어 보기

- 100씩 뛰어서 세기
  백의 자리 숫자가 1씩 커집니다.

  100 - 200 - 300 - 400 - 500 - 600 - 700 - 800 - 900

- 10씩 뛰어서 세기
  십의 자리 숫자가 1씩 커집니다.

  210 - 220 - 230 - 240 - 250 - 260 - 270 - 280 - 290

- 1씩 뛰어서 세기
  일의 자리 숫자가 1씩 커집니다.

  991 - 992 - 993 - 994 - 995 - 996 - 997 - 998 - 999

- 천 알아보기
  999보다 1만큼 더 큰 수는 1000입니다.
  1000은 천이라고 읽습니다.

10 · Run- A 2–1

개념 확인 문제

정답과 풀이 p.2

4-1 238을 수 모형으로 나타내었습니다. 물음에 답하세요.

백 모형	십 모형	일 모형
100이 2 개	10이 3 개	1이 8 개

(1) □ 안에 알맞은 수를 써넣으세요.

(2) 238에서 2는 얼마를 나타낼까요?
(200)

(3) 238에서 3은 얼마를 나타낼까요?
(30)

(4) 238에서 8은 얼마를 나타낼까요?
(8)

4-2 □ 안에 알맞은 수를 써넣으세요.

	100이 6개	10이 5개	1이 9개
659 →	600	50	9

659 = 600 + 50 + 9

5 뛰어서 세었습니다. 빈칸에 알맞은 수를 써넣으세요.

(1) 240 - 340 - 440 - 540 - 640 - 740

(2) 530 - 540 - 550 - 560 - 570 - 580

(3) 882 - 883 - 884 - 885 - 886 - 887

1. 세 자리 수 · 11

 ① 단계 교과서 **개념 잡기**

개념 6 어느 수가 더 큰지 알아보기

• 세 자리 수의 크기를 비교할 때는 백, 십, 일의 자리를 차례로 비교합니다.

백의 자리 숫자가 다르면 백의 자리 숫자를 비교합니다.

	백의 자리	십의 자리	일의 자리
358 →	3	5	8
172 →	1	7	2

358 > 172
└3>1┘

백의 자리 숫자가 같으면 십의 자리 숫자를 비교합니다.

	백의 자리	십의 자리	일의 자리
269 →	2	6	9
275 →	2	7	5

269 < 275
└6<7┘

백, 십의 자리 숫자가 같으면 일의 자리 숫자를 비교합니다.

	백의 자리	십의 자리	일의 자리
682 →	6	8	2
684 →	6	8	4

682 < 684
└2<4┘

12 · Run - A 2-1

개념 확인 문제

 정답과 풀이 p.3

6-1 빈칸에 알맞은 수를 써넣고 두 수의 크기를 비교하여 ○ 안에 > 또는 <를 알맞게 써넣으세요.

(1)
	백의 자리	십의 자리	일의 자리
819 →	8	1	9
735 →	7	3	5

819 > 735

❖ 8>7 ➜ 819>735

(2)
	백의 자리	십의 자리	일의 자리
564 →	5	6	4
570 →	5	7	0

564 < 570

❖ 6<7 ➜ 564<570

(3)
	백의 자리	십의 자리	일의 자리
487 →	4	8	7
485 →	4	8	5

487 > 485

❖ 7>5 ➜ 487>485

6-2 두 수의 크기를 비교하여 ○ 안에 > 또는 <를 알맞게 써넣으세요.

(1) 476 < 503 (2) 248 < 249

(3) 327 > 319 (4) 653 < 700

❖ (1) 476<503 (2) 248<249 (3) 327>319 (4) 653<700
　 └4<5┘ 　　└8<9┘ 　　└2>1┘ 　　└6<7┘

6-3 빈칸에 알맞은 수를 써넣고 □ 안에 알맞은 수를 써넣으세요.

	백의 자리	십의 자리	일의 자리
630 →	6	3	0
597 →	5	9	7
632 →	6	3	2

가장 큰 수는 632 이고 가장 작은 수는 597 입니다.

❖ 백의 자리 숫자를 비교하면 6>5이므로
가장 작은 수는 597입니다.
백의 자리 숫자가 6인 수 630과 632의 크기를 비교하면
630<632이므로 가장 큰 수는 632입니다.

1. 세 자리 수 · 13

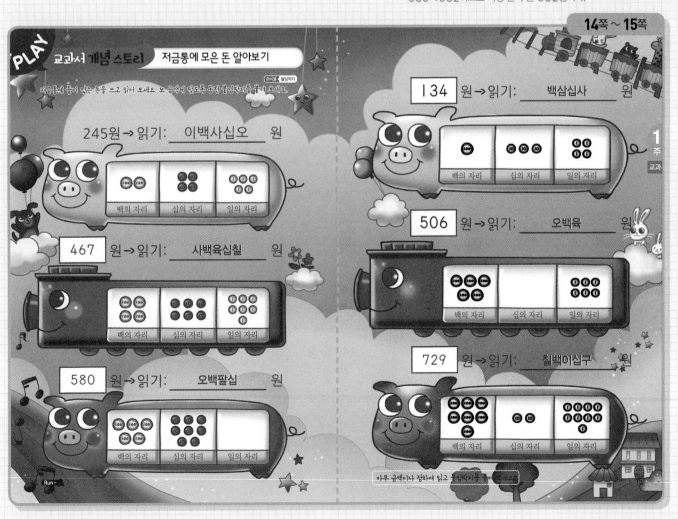

PLAY 교과서 **개념 스토리** 저금통에 모은 돈 알아보기

저금통에 들어 있는 돈을 쓰고 읽어 보세요. 또 금액에 맞도록 동전 붙임딱지를 붙여 보세요.

245원 → 읽기: 이백사십오 원

467 원 → 읽기: 사백육십칠 원

580 원 → 읽기: 오백팔십 원

134 원 → 읽기: 백삼십사 원

506 원 → 읽기: 오백육 원

729 원 → 읽기: 칠백이십구 원

아무 금액이나 정하여 읽고 붙임딱지를 붙여 보세요.

Run - A 2-1

정답과 풀이 · 3

PLAY 교과서 **개념 스토리** 알맞은 도깨비 방망이를 찾아라

몽헌쓰는 수 모형이 나타내는 수가 적혀 있는 도깨비 방망이를 붙임딱지를 붙여 보세요.

1주 교과

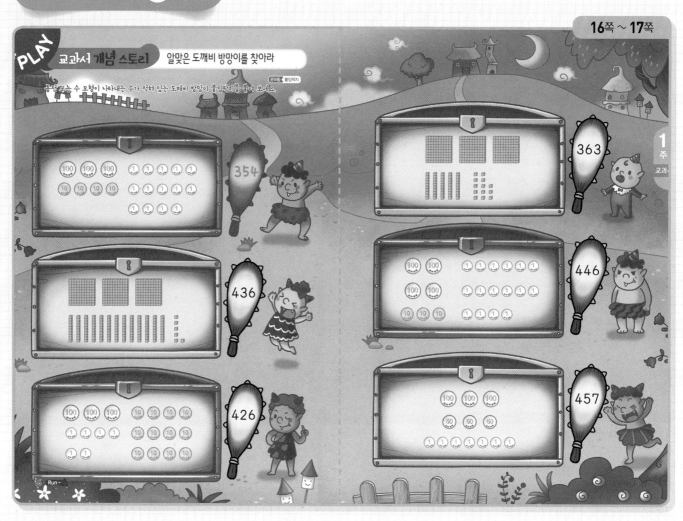

② 단계 교과서 **개념 다지기**

정답과 풀이 p.4

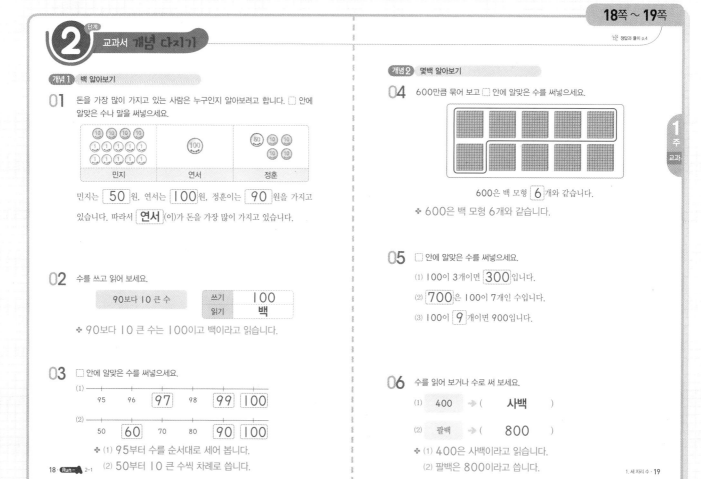

개념 1 백 알아보기

01 돈을 가장 많이 가지고 있는 사람은 누구인지 알아보려고 합니다. □ 안에 알맞은 수나 말을 써넣으세요.

민지	연서	정훈

민지는 **50** 원, 연서는 **100** 원, 정훈이는 **90** 원을 가지고 있습니다. 따라서 **연서** (이)가 돈을 가장 많이 가지고 있습니다.

02 수를 쓰고 읽어 보세요.

90보다 10 큰 수	쓰기	100
	읽기	백

❖ 90보다 10 큰 수는 100이고 백이라고 읽습니다.

03 □ 안에 알맞은 수를 써넣으세요.

(1) 95 96 **97** 98 **99** **100**

(2) 50 **60** 70 80 **90** **100**

❖ (1) 95부터 수를 순서대로 세어 봅니다.
(2) 50부터 10 큰 수씩 차례로 씁니다.

개념 2 몇백 알아보기

04 600만큼 묶어 보고 □ 안에 알맞은 수를 써넣으세요.

600은 백 모형 **6** 개와 같습니다.

❖ 600은 백 모형 6개와 같습니다.

05 □ 안에 알맞은 수를 써넣으세요.

(1) 100이 3개이면 **300** 입니다.

(2) **700** 은 100이 7개인 수입니다.

(3) 100이 **9** 개이면 900입니다.

06 수를 읽어 보거나 수로 써 보세요.

(1) 400 → (**사백**)

(2) 팔백 → (**800**)

❖ (1) 400은 사백이라고 읽습니다.
(2) 팔백은 800이라고 씁니다.

1주 교과

18 · Run-Ⓐ 2-1

1. 세 자리 수 · 19

② 교과서 개념 다지기

개념3 세 자리 수 알아보기

07 다음이 나타내는 수를 써 보세요.

> 100이 3개, 10이 9개, 1이 4개인 수

100이 3개이면 300, 10이 9개이면 90, 1이 4개이면 4 입니다.

따라서 나타내는 수는 394 입니다.

08 빈칸에 알맞은 말이나 수를 써넣으세요.

528	**오백이십팔**	703	**칠백삼**
260	이백육십	912	구백십이

09 동전은 모두 얼마일까요?

❖ 100원짜리 동전 4개: 400원 (432원)
10원짜리 동전 3개: 30원
1원짜리 동전 2개: 2원
432원

20 · Run2 2-1

개념4 각 자리의 숫자가 나타내는 값 알아보기

10 숫자 7이 나타내는 값이 <u>다른</u> 것을 찾아 기호를 써 보세요.

> ㉠ 714   ㉡ 705   ㉢ 672   ㉣ 798

숫자 7이 나타내는 값을 각각 쓰면

㉠ 7̲14 → 700   ㉡ 7̲05 → 700
㉢ 67̲2 → 70   ㉣ 7̲98 → 700

이므로 숫자 7이 나타내는 값이 다른 하나는 ㉢ 입니다.

11 □ 안에 알맞은 수를 써넣으세요.

(1) 529는 ┌ 100이 5 개
        ├ 10이 2 개
        └ 1이 9 개

(2) 367은 ┌ 100이 3 개
        ├ 10이 6 개
        └ 1이 7 개

12 밑줄 친 숫자가 나타내는 값을 써 보세요.

(1) 4̲82 → (400)

(2) 55̲5 → (50)

(3) 69̲3 → (3)

❖ (1) 4는 백의 자리 숫자이므로 400을 나타냅니다.
(2) 5는 십의 자리 숫자이므로 50을 나타냅니다.
(2) 3은 일의 자리 숫자이므로 3을 나타냅니다.

1. 세 자리 수 · 21

---

② 교과서 개념 다지기

개념5 뛰어서 세기

13 그림의 □ 안에 알맞은 수를 써넣고 몇씩 뛰어서 세었는지 알아보세요.

330 340 350 360 370 380

(백 , 십 , 일)의 자리 숫자가 1 씩 커지므로 10 씩 뛰어서 센 것입니다.

14 □ 안에 알맞은 수를 써넣으세요.

825보다 ┌ 1 큰 수는 826 ┐
        ├ 10 큰 수는 835 ├ 입니다.
        └ 100 큰 수는 925 ┘

❖ 1 큰 수는 일의 자리 숫자가 1 커지고, 10 큰 수는 십의 자리 숫자가 1 커지고, 100 큰 수는 백의 자리 숫자가 1 커집니다.

15 빈칸에 알맞은 수를 써넣고 몇씩 뛰어서 세었는지 알아보세요.

(1) 315 - 415 - 515 - 615 - 715

➡ 100 씩 뛰어서 세었습니다.

(2) 723 - 724 - 725 - 726 - 727

➡ 1 씩 뛰어서 세었습니다.

❖ (1) 백의 자리 숫자가 1씩 커지므로 100씩 뛰어서 센 것입니다.
(2) 일의 자리 숫자가 1씩 커지므로 1씩 뛰어서 센 것입니다.

22 Run2 2-1

개념6 두 수의 크기 비교하기

16 수 모형이 나타내는 수를 □ 안에 써넣은 뒤 두 수의 크기를 비교하여 ○ 안에 > 또는 <를 알맞게 써넣으세요.

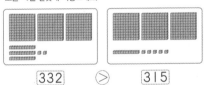

332 > 315

❖ 백의 자리 숫자가 같을 때는 십의 자리 숫자를 비교합니다.

17 수의 크기를 비교하여 가장 큰 수를 찾아 ○표 하세요.

(1) 259 (581) 390

(2) (802) 624 795 800

❖ (1) 백의 자리 숫자가 가장 큰 것을 찾습니다.
(2) 백의 자리 숫자가 큰 것을 찾고, 백의 자리 숫자가 같은 경우 십의 자리, 일의 자리 숫자를 비교합니다.

18 진주와 친구들의 줄넘기 횟수를 나타낸 것입니다. 줄넘기를 가장 많이 한 사람은 누구일까요?

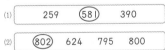

진주	혜수	준수	동진
203번	119번	241번	185번

(준수)

❖ 백의 자리 숫자가 큰 것을 찾고, 백의 자리 숫자가 같은 경우 십의 자리 숫자가 큰 수가 큽니다.

1. 세 자리 수 · 23

241>203>185>119

③ 교과서 실력 다지기

정답과 풀이 p.6

★ 세 자리 수로 나타내기

1 수수깡이 100개씩 묶음 4개, 10개씩 묶음 16개, 낱개 9개가 있습니다. 수수깡은 모두 몇 개일까요?

100개씩 묶음	10개씩 묶음	낱개

10개씩 묶음 10개는 100개씩 묶음 $\boxed{1}$ 개이므로

100개씩 묶음 5개=$\boxed{500}$, 10개씩 묶음 6개=$\boxed{60}$,

낱개 9개=$\boxed{9}$ 입니다. → $\boxed{569}$

답 **569개**

개념 카드백 · 낱개 10개=10개씩 묶음 1개, 10개씩 묶음 10개=100개씩 묶음 1개

1-1 사과가 100개씩 상자 8개, 낱개 25개가 있습니다. 사과는 모두 몇 개일까요?

(**825개**)

✧ 낱개 25개는 10개씩 묶음 2개와 낱개 5개이므로 100개씩 상자 8개, 10개씩 묶음 2개, 낱개 5개입니다.
따라서 사과는 모두 825개입니다.

1-2 색종이가 100장씩 묶음 2개, 10장씩 묶음 13개, 낱장 17장이 있습니다. 색종이는 모두 몇 장일까요?

(**347장**)

✧ 10장씩 묶음 13개는 100장씩 묶음 1개와 10장씩 묶음 3개이고 낱장 17장은 10장씩 묶음 1개와 낱장 7장이므로 100장씩 묶음 3개, 10장씩 묶음 4개, 낱장 7장입니다.
따라서 색종이는 모두 347장입니다.

★ 규칙을 찾아 뛰어서 세기

2 보기 와 같은 규칙으로 수를 뛰어서 세어 보세요.

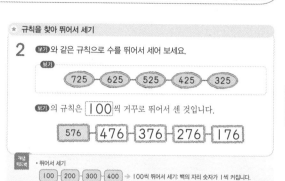

보기 725 - 625 - 525 - 425 - 325

보기 의 규칙은 $\boxed{100}$ 씩 거꾸로 뛰어서 센 것입니다.

576 - $\boxed{476}$ - $\boxed{376}$ - $\boxed{276}$ - $\boxed{176}$

개념 카드백 · 뛰어 세기
100 - 200 - 300 - 400 ➡ 100씩 뛰어서 세기: 백의 자리 숫자가 1씩 커집니다.
400 - 300 - 200 - 100 ➡ 100씩 거꾸로 뛰어서 세기: 백의 자리 숫자가 1씩 작아집니다.

2-1 규칙을 찾아 수를 뛰어서 세어 보세요.

 990 - 992 - $\boxed{994}$ - $\boxed{996}$ - $\boxed{998}$ - $\boxed{1000}$

✧ 일의 자리 숫자가 2씩 커지므로 2씩 뛰어서 센 것입니다.

2-2 규칙을 찾아 수를 뛰어서 셀 때 ★에 알맞은 수를 구해 보세요.

350 - 400 - 450 - ☐ - ☐ - ★

(**600**)

✧ 십의 자리 숫자가 5씩 커지므로 50씩 뛰어서 센 것입니다.
따라서 규칙에 따라 수를 뛰어서 세어 보면
350-400-450-500-550-600이므로
★=600입니다.

---

③ 교과서 실력 다지기

정답과 풀이 p.6

★ 어떤 수 구하기

3 어떤 수에서 100씩 1번 뛰어서 센 수는 374입니다. 어떤 수에서 10씩 거꾸로 1번 뛰어서 센 수는 얼마일까요?

① 어떤 수에서 100씩 1번 뛰어서 센 수=374
➡ 어떤 수=374에서 100씩 거꾸로 1번 뛰어서 센 수

② 어떤 수는 $\boxed{274}$ 입니다.

③ 어떤 수에서 10씩 거꾸로 1번 뛰어서 센 수는 $\boxed{264}$ 입니다.

답 **264**

개념 카드백 · 뛰어서 세기

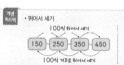 100씩 뛰어서 세기
150 - 250 - 350 - 450
100씩 거꾸로 뛰어서 세기

 10씩 뛰어서 세기
960 - 970 - 980 - 990
10씩 거꾸로 뛰어서 세기

3-1 어떤 수에서 100씩 1번 뛰어서 센 수는 405입니다. 어떤 수를 구한 뒤 어떤 수에서 1씩 거꾸로 1번 뛰어서 센 수는 얼마인지 구해 보세요.

✧ 어떤 수에서 100씩 1번 뛰어서 센 수 어떤 수: $\boxed{305}$, 답: $\boxed{304}$
=405 ➡ 어떤 수=405에서 100씩 거꾸로 1번 뛰어서 센 수입니다. 어떤 수=305이고, 305에서 1씩 거꾸로 1번 뛰어서 센 수는 304입니다.

3-2 어떤 수에서 10씩 2번 뛰어서 센 수는 522입니다. 어떤 수에서 100씩 거꾸로 2번 뛰어서 센 수는 얼마일까요?

✧ 어떤 수에서 10씩 2번 뛰어서 센 수=522 (**302**)
➡ 어떤 수=522에서 10씩 거꾸로 2번 뛰어서 센 수입니다. 어떤 수=502이고, 502에서 100씩 거꾸로 2번 뛰어서 센 수는 302입니다.

★ 크기를 비교해서 ☐ 안에 들어갈 수 있는 수 구하기

4 0부터 9까지의 수 중에서 ■ 안에 들어갈 수 있는 수를 모두 써 보세요.

26■>265

① $\boxed{백}$ 의 자리와 $\boxed{십}$ 의 자리 숫자가 같습니다.

② 일의 자리를 비교하면 ■ 안에 들어갈 수는 $\boxed{5}$ 보다 커야 하므로 $\boxed{6}$, $\boxed{7}$, $\boxed{8}$, $\boxed{9}$ 입니다.

답 **6, 7, 8, 9**

개념 카드백 · 세 자리 수의 크기 비교

백의 자리 숫자가 클수록 더 큰 수	➡	백의 자리 숫자가 같으면 십의 자리 숫자가 클수록 더 큰 수	➡	백, 십의 자리 숫자가 같으면 일의 자리 숫자가 클수록 더 큰 수

4-1 세 자리 수의 크기를 비교하면 다음과 같습니다. ☐ 안에 들어갈 수 있는 수는 모두 몇 개일까요?

564 ⊳ 5☐4

✧ 백의 자리와 일의 자리 숫자가 각각 같으므로 (**6개**)
☐ 안에는 6보다 작은 0, 1, 2, 3, 4, 5가 들어갈 수 있습니다.
➡ 6개

4-2 세 자리 수에서 일의 자리 숫자가 보이지 않습니다. 두 수의 크기를 비교하여 ○ 안에 > 또는 <를 알맞게 써넣으세요.

3 5 ◯ ⊳ 3 3 ◯

✧ 백의 자리 숫자가 같으므로 십의 자리 숫자가 큰 수가 더 큽니다.
35■>33●
└5>3┘

 교과서 **실력 다지기**

정답과 풀이 p.7

★ 수 카드로 세 자리 수 만들기

5 4장의 수 카드 중 3장을 뽑아 한 번씩 사용하여 세 자리 수를 만들려고 합니다. 만들 수 있는 세 자리 수 중 가장 큰 수와 가장 작은 수를 각각 구해 보세요.

가장 큰 수 (**853**), 가장 작은 수 (**135**)

개념 리드북 │ 세 자리 수 ■▲●에서 가장 크려면 ■>▲>●
가장 작으려면 ■<▲<●

5-1 3장의 수 카드를 한 번씩 사용하여 가장 작은 세 자리 수를 만들어 보세요.

5 2 6

(**256**)

✧ 2<5<6이므로 만들 수 있는 가장 작은 세 자리 수는
256입니다.

5-2 4장의 수 카드 중 3장을 뽑아 한 번씩 사용하여 세 자리 수를 만들려고 합니다. 만들 수 있는 세 자리 수 중 가장 큰 수와 가장 작은 수를 각각 구해 보세요.

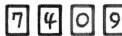

가장 큰 수 (**974**), 가장 작은 수 (**407**)

✧ 9>7>4>0이므로 만들 수 있는 가장 큰 세 자리 수는
974이고, 만들 수 있는 가장 작은 세 자리 수는 407입니다.

28 · Run - 2-1

★ 나타낼 수 있는 세 자리 수 구하기

6 수 모형 4개 중 3개를 사용하여 나타낼 수 있는 세 자리 수를 모두 찾아 ○표 하세요.

⟨111⟩ 121 220 ⟨120⟩

개념 리드북

• 세 자리 수 ■▲●
백 모형 ■개   100이 ■개
십 모형 ▲개   10이 ▲개
일 모형 ●개   1이 ●개

백 모형	십 모형	일 모형	세 자리 수
1	2	0	120
1	1	1	111

6-1 동전 5개 중 3개를 사용하여 나타낼 수 있는 세 자리 수를 모두 찾아 ○표 하세요.

221 ⟨210⟩ ⟨120⟩
⟨201⟩ ⟨111⟩ 112

✧ 동전 3개만 사용하여 세 자리 수를 만들어야 합니다.

100원	10원	1원	세 자리 수
2	1	0	210
2	0	1	201
1	2	0	120
1	1	1	111

1. 세 자리 수 · 29

Test 교과서 **서술형 연습**

정답과 풀이 p.7

1 과일 가게에 귤이 538개, 사과가 542개 있습니다. 귤과 사과 중 더 많은 것은 무엇일까요?

🖋 구하려는 것, 주어진 것에 선을 그어 봅니다.

해결하기

	백의 자리	십의 자리	일의 자리
귤 538 →	5	3	8
→	5	4	2

(백), 십, 일의 자리 숫자가 같으므로 (십), 일의 자리 숫자를 비교합니다.

538 < 542

따라서 **사과** 이/가 더 많습니다.

답 구하기 **사과**

✧ 백의 자리 숫자가 같으므로 십의 자리 숫자를
비교합니다.   538<542
└ 3<4 ┘
따라서 사과가 더 많습니다.

2 딱지를 명호는 412장, 승기는 630장, 세찬이는 596장 모았습니다. 딱지를 많이 모은 순서대로 이름을 써 보세요. 주어진 것

구하려는 것

🖋 구하려는 것, 주어진 것에 선을 그어 봅니다.

해결하기 **예** 백의 자리 숫자가 모두 다르므로 백의 자
리 숫자를 비교합니다. 6>5>4이므로
630>596>412입니다.

답 구하기 **승기, 세찬, 명호**

✧ 630>596>412
└ 6>5 5>4 ┘

30 · Run - 2-1

3 세 자리 수에 대한 설명입니다. 어떤 수인지 구해 보세요.

• 백의 자리 숫자는 4보다 크고 6보다 작습니다.①
• 십의 자리 숫자가 나타내는 값은 70입니다.②
• 일의 자리 숫자가 나타내는 값은 3입니다.③

🖋 구하려는 것, 주어진 것에 선을 그어 봅니다.

해결하기 ① ▢ → 백의 자리 숫자는 **5** 입니다.
② ▢ → 십의 자리 숫자는 **7** 입니다.
③ ▢ → 일의 자리 숫자는 **3** 입니다.

답 구하기 **573**

4 세 자리 수에 대한 설명입니다. 어떤 수인지 구해 보세요.

구하려는 것
• 백의 자리 숫자는 2보다 크고 4보다 작습니다. ①
• 십의 자리 숫자가 나타내는 값은 50입니다. ②
• 백의 자리 숫자와 일의 자리 숫자가 같습니다. ③
주어진 것

🖋 구하려는 것, 주어진 것에 선을 그어 봅니다.

해결하기 **예** ① 백의 자리 숫자는 2보다 크고 4보다
작으므로 3입니다.

② 십의 자리 숫자는 50을 나타내므로 5입
니다.   답 구하기 **353**

③ 백의 자리 숫자와 일의 자리 숫자가 같으
므로 일의 자리 숫자는 3입니다. → 353

1. 세 자리 수 · 31

정답과 풀이 · **7**

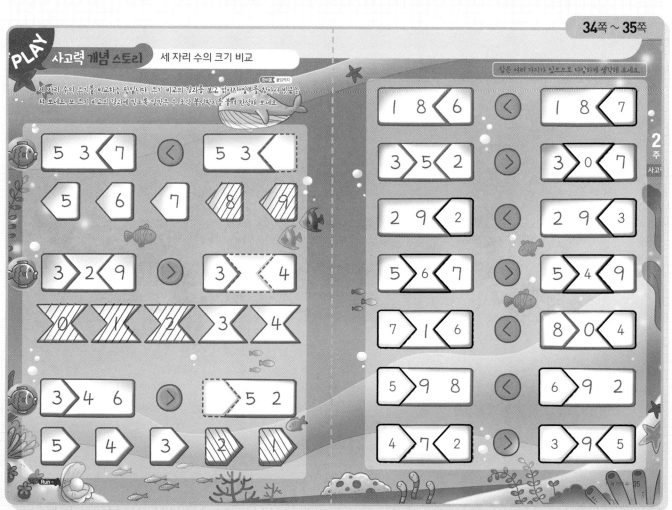

①단계 교과 사고력 잡기

1 영주는 매일 같은 금액의 용돈을 받아 저금을 합니다. 영주가 5일 동안 저금한 돈은 모두 얼마인지 구해 보세요.

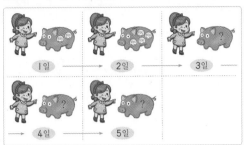

❶ 영주는 매일 얼마씩 용돈을 받을까요?

✧ 200원－400원　　　　　　　　（　**200원**　）

　┃**1일**┃　┃**2일**┃

1일보다 2일에 200원이 늘어나 있으므로 200원씩 용돈을 받습니다.

❷ 뛰어서 세기를 하여 영주가 매일 저금한 돈을 알아보세요.

200	400	600	800	1000
1일	2일	3일	4일	5일

❸ 영주가 5일 동안 저금한 돈은 모두 얼마일까요?

（　**1000원**　）

정답과 풀이 p.9

→ 1과 6, 2와 5, 3과 4가
마주 보는 면의 눈의 수입니다.

2 주사위는 마주 보는 면의 눈의 수의 합이 7입니다. 주사위 3개를 다음과 같이 놓을 때 주사위의 바닥 면에 있는 눈의 수로 세 자리 수를 만들었습니다. 만든 세 자리 수에서 100 뛰어서 센 수를 구해 보세요.

백　　십　　일

❶ 백의 자리 숫자는 얼마일까요?　　　（　**4**　）

✧ 3+□=7이므로 □=4입니다.

❷ 십의 자리 숫자는 얼마일까요?　　　（　**2**　）

✧ 5+□=7이므로 □=2입니다.

❸ 일의 자리 숫자는 얼마일까요?　　　（　**6**　）

✧ 1+□=7이므로 □=6입니다.

❹ 만든 세 자리 수는 얼마일까요?　　（　**426**　）

❺ 만든 세 자리 수에서 100 뛰어서 센 수는 얼마일까요?

（　**526**　）

✧ 만든 세 자리 수는 426입니다.
따라서 426에서 100 뛰어서 센 수는 526입니다.

---

①단계 교과 사고력 잡기

3 할머니 댁에 가기 위해 지민이는 버스를 타야 합니다. 어머니께서 타야 할 버스에 대한 정보를 종이에 적어 주셨습니다. 종이에 적힌 메모를 보고 타야 할 버스의 번호를 써 보세요.

• 버스의 번호는 세 자리 수야.
• 백의 자리 숫자가 5인 버스를 찾아.
• 숫자 3이 나타내는 수가 30인 버스를 타야 해.
• 일의 자리 숫자와 백의 자리 숫자가 같은 버스를 타야 해.

❶ 버스의 번호에서 백의 자리 숫자가 5인 버스를 모두 찾아 번호를 써 보세요.

（　**503, 533, 535**　）

❷ 각 버스의 번호에서 십의 자리 숫자가 나타내는 값을 써 보세요.

503 → **0**　　　　533 → **30**

353 → **50**　　　　535 → **30**

❸ 지민이가 타야 할 버스의 번호에서 일의 자리 숫자는 얼마일까요?

（　**5**　）

✧ 백의 자리 숫자와 같으므로 일의 자리 숫자는 5입니다.

❹ 지민이가 타야 할 버스의 번호를 써 보세요.

（　**535**　）

✧ 지민이가 타야 할 버스의 번호는 535입니다.

정답과 풀이 p.9

4 준수네 가족은 고모네와 함께 여행을 갔습니다. 준수네 가족이 머무는 방과 고모네 가족이 머무는 방 사이에 있는 방은 모두 몇 개일까요? (단, 방 번호는 순서대로 있고 방 번호에 대한 설명은 문 앞에 있습니다.)

〈준수네 방〉　　　〈고모네 방〉

❶ 준수네 방 번호는 몇 호일까요?

✧ 100이　3개 → 300　　　　（　**537호**　）
　 10이 23개 → 230
　　1이　7개 →　　7
　　　　　　　　　537

❷ 고모네 방 번호는 몇 호일까요?

✧ 백 모형　4개 → 400　　　　（　**543호**　）
　 십 모형 12개 → 120
　 일 모형 23개 →　23
　　　　　　　　　543

❸ 준수네 방과 고모네 방 사이에 있는 방은 모두 몇 개일까요?

✧ 537, 538, 539, 540, 541, 542, 543　　（　**5개**　）

→ 5개

GO! 매쓰 Run- A 정답

② 단계 교과 사고력 확장

정답과 풀이 p.10

1 다음 동물의 다리 수를 한 번씩 사용하여 세 자리 수를 만들려고 합니다. 동물의 다리 수를 구한 뒤 만들 수 있는 세 자리 수 중 가장 큰 수와 가장 작은 수를 각각 구해 보세요.

❶ 거미 오리 토끼

다리 수: [8] [2] [4]

가장 큰 수 (842), 가장 작은 수 (248)

❖ 8>4>2이므로 만들 수 있는 가장 큰 세 자리 수는 842, 가장 작은 세 자리 수는 248입니다.

❷ 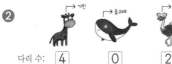 기린 돌고래 타조

다리 수: [4] [0] [2]

가장 큰 수 (420), 가장 작은 수 (204)

❖ 4>2>0이므로 만들 수 있는 가장 큰 세 자리 수는 420, 가장 작은 세 자리 수는 204입니다.

❸ 개미 문어 뱀

다리 수: [6] [8] [0]

가장 큰 수 (860), 가장 작은 수 (608)

❖ 8>6>0이므로 만들 수 있는 가장 큰 세 자리 수는 860, 가장 작은 세 자리 수는 608입니다.

2 규칙에 따라 미로를 탈출해 집을 찾아가 보세요.

❶ 규칙
10씩 뛰어서 세기

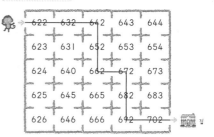

❖ 622부터 10씩 뛰어서 세면
622-632-642-652-662-672-682-692-702입니다.

❷ 규칙
50씩 뛰어서 세기

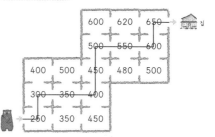

❖ 250부터 50씩 뛰어서 세면
250-300-350-400-450-500-550-600-650입니다.

---

② 단계 교과 사고력 확장

정답과 풀이 p.10

3 사과에 적힌 세 수를 한 번씩 사용하여 세 자리 수를 만들려고 합니다. 서로 다른 세 자리 수로 이루어진 사과 세트를 만들어 보세요.

❶  0 5 4

 4 0 5    4 5 0

 5 0 4    5 4 0

❖ 0은 백의 자리에 올 수 없습니다.

❷  7 2 5

 2 5 7    2 7 5

 5 2 7    5 7 2

 7 2 5    7 5 2

❖ 만들 수 있는 세 자리 수는 257, 275, 527, 572, 725, 752입니다.

4 주어진 세 수에서 밑줄 그은 숫자가 나타내는 값의 합과 같은 돈이 들어 있는 저금통을 찾아 이어 보세요.

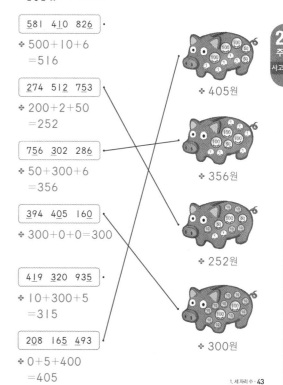

5̲81 41̲0 82̲6 ·
❖ 500+10+6
=516

2̲74 51̲2 75̲3
❖ 200+2+50
=252

75̲6 30̲2 28̲6
❖ 50+300+6
=356

3̲94 40̲5 16̲0
❖ 300+0+0=300

41̲9 3̲20 93̲5 ·
❖ 10+300+5
=315

20̲8 1̲65 49̲3
❖ 0+5+400
=405

❖ 405원
❖ 356원
❖ 252원
❖ 300원

③ 단계 교과 사고력 완성

평가 요소 □개념 이해력 ✔개념 응용력 □창의력 ✔문제 해결력

1 ㉠과 ㉡ 사이에 있는 세 자리 수를 모두 구해 보세요.

> ㉠ 100이 2개, 10이 5개, 1이 4개인 수
> ㉡ 209부터 10씩 5번 뛰어서 센 수

❶ ㉠과 ㉡이 나타내는 수를 각각 구해 보세요.

㉠: $\boxed{200}+\boxed{50}+\boxed{4}=\boxed{254}$

㉡: $\boxed{209}-\boxed{219}-\boxed{229}-\boxed{239}-\boxed{249}-\boxed{259}$

❷ ㉠과 ㉡을 수직선에 나타내어 보세요.

㉠$\boxed{254}$ ㉡$\boxed{259}$

❸ ㉠과 ㉡ 사이에 있는 세 자리 수를 모두 구해 보세요.

(255, 256, 257, 258)

평가 요소 □개념 이해력 ✔개념 응용력 □창의력 ✔문제 해결력

2 ㉠과 ㉡ 사이에 있는 세 자리 수는 모두 몇 개인지 구해 보세요.

> ㉠ 10이 30개, 1이 20개인 수
> ㉡ 377부터 10씩 5번 거꾸로 뛰어서 센 수

(6개)

❖ ㉠: 10이 30개이면 300, 1이 20개이면 20이므로 320입니다.

㉡: 377-367-357-347-337-(327)

320, 321, 322, 323, 324, 325, 326, 327

➡ 6개

평가 요소 ✔개념 이해력 □개념 응용력 ✔창의력 □문제 해결력

3 윤아는 세 자리 수 354를 다음과 같이 나타내었습니다. 윤아의 수 표현 방법으로 523을 나타내어 보세요.

354 → ●●●▲▲▲▲▲★★★★

❶ ●, ▲, ★이 나타내는 값은 각각 얼마인지 구해 보세요.

●=$\boxed{100}$, ▲=$\boxed{10}$, ★=$\boxed{1}$

❷ 523을 각 자리 숫자가 나타내는 값의 합으로 나타내어 보세요.

523=$\boxed{500}+\boxed{20}+\boxed{3}$

❸ 523을 ●, ▲, ★을 사용하여 나타내어 보세요.

➡ ●●●●●▲▲★★★

평가 요소 ✔개념 이해력 □개념 응용력 ✔창의력 □문제 해결력

4 465를 보기와 같은 방법으로 나타내어 보세요.

보기
283 | ◆◆◇ ▷▷▷▷▷▷▷▷ ■■

➡

❖ ◇ 3개가 3, ▷ 8개가 80, ■ 2개가 200이므로 ◇=1, ▷=10, ■=100을 나타냅니다.
465는 ◇◇◇◇◇▷▷▷▷▷▷■■■■로 나타낼 수 있습니다.

Test 종합평가 1. 세 자리 수

맞은 개수

1 □ 안에 알맞은 수를 써넣으세요.

┌ 90보다 $\boxed{10}$ 큰 수입니다.
100은 ─ 10이 $\boxed{10}$ 개인 수입니다.
└ $\boxed{99}$ 보다 1 큰 수입니다.

❖ 90보다 10 큰 수, 10이 10개인 수, 99보다 1 큰 수는 100입니다.

2 수 모형이 나타내는 수를 쓰고 읽어 보세요.

쓰기 500 읽기 오백

❖ 백 모형 5개는 500이라 쓰고 오백이라 읽습니다.

3 수를 읽거나 수로 써 보세요.

| 193 | 백구십삼 | 칠백이 | 702 |
| 오백팔십 | 580 | 235 | 이백삼십오 |

4 다음이 나타내는 수를 쓰고 읽어 보세요.

> 10이 60개인 수

쓰기 600 읽기 육백

❖ 10이 10개이면 100이므로 10이 60개이면 600입니다.

---

5 동전은 모두 얼마일까요?

(439원)

❖ 100이 4개, 10이 3개, 1이 9개인 수는 439이므로 439원입니다.

6 두 수의 크기를 비교하여 ○ 안에 > 또는 <를 알맞게 써넣으세요.

| 164 | > | 154 | 609 | < | 710 |
| 920 | > | 913 | 522 | < | 528 |

❖ 164>154   609<710
　　└6>5┘　　└6<7┘
920>913   522<528
└2>1┘　　　└2<8┘

7 뛰어서 세어 보세요.

(1) 100씩 → 209 - 309 - 409 - 509
609 - 709 - 809 - 909

(2) 1씩 → 495 - 496 - 497 - 498
499 - 500 - 501 - 502

❖ (1) 209부터 100씩 뛰어서 세면 209-309-409-509-609-709-809-909입니다.

(2) 495부터 1씩 뛰어서 세면 495-496-497-498-499-500-501-502입니다.

 종합평가 1. 세 자리 수
정답과 풀이 p.12

8 100을 바르게 설명한 것을 모두 찾아 기호를 써 보세요.

㉠ 10개씩 10묶음   ㉡ 999보다 1 큰 수
㉢ 95보다 5 큰 수   ㉣ 100이 10개인 수

(㉠, ㉢)

❖ ㉠=100, ㉡=1000, ㉢=100, ㉣=1000입니다.

9 도서관에 동화책이 705권, 시집이 689권 있습니다. 동화책과 시집 중 어느 것이 더 많을까요?

(동화책)

❖ 705>689이므로 동화책이 더 많습니다.
　　⌊7>6⌋

10 700을 나타내는 숫자를 찾아 기호를 써 보세요.

7 7 7
㉠ ㉡ ㉢

(㉠)

❖ 7 7 7 ➡ ㉠=700, ㉡=70, ㉢=7을 나타냅니다.
㉠㉡㉢

11 345보다 크고 349보다 작은 세 자리 수를 모두 써 보세요.

(346, 347, 348)

❖ 345부터 349까지 차례로 쓰면
345, 346, 347, 348, 349입니다.

12 뛰어서 세었습니다. 빈 곳에 알맞은 수를 써넣고 얼마씩 뛰어 세었는지 □ 안에 알맞은 수를 써넣으세요.

513 — 523 — 533 — 543 — 553

➡ 10 씩 뛰어서 세었습니다.

❖ 십의 자리 숫자가 1씩 커졌으므로 10씩 뛰어서 센 것입니다.

13 정아는 100원짜리 동전 8개를 가지고 있습니다. 1000원이 되려면 100원짜리 동전이 몇 개 더 필요할까요?

❖ 100원짜리 동전 8개는 800원입니다. (2개)
1000은 800보다 200 큰 수이므로 1000원이 되려면 200원이 더 필요합니다.
따라서 100원짜리 동전이 2개 더 필요합니다.

14 어떤 수에서 100씩 1번 거꾸로 뛰어서 센 수는 724입니다. 어떤 수에서 10씩 1번 뛰어서 센 수는 얼마일까요?

(834)

❖ 어떤 수에서 100씩 1번 거꾸로 뛰어서 센 수는 724이므로 어떤 수는 724에서 100씩 1번 뛰어서 센 수인 824입니다.
따라서 824에서 10씩 1번 뛰어서 센 수는 834입니다.

15 1부터 9까지의 수 중에서 □ 안에 들어갈 수 있는 수를 모두 구해 보세요.

657<□19

(7, 8, 9)

❖ 657<□19에서 십의 자리 숫자가 5>1이므로 □ 안에는 6보다 큰 수가 들어가야 합니다.
따라서 □ 안에 들어갈 수 있는 수는 7, 8, 9입니다.

48 · Run- A 2-1
1. 세 자리 수 · 49

 종합평가 1. 세 자리 수
정답과 풀이 p.12

16 수 카드를 한 번씩 사용하여 세 자리 수를 만들려고 합니다. 만들 수 있는 세 자리 수 중 가장 큰 수를 구해 보세요.

3 7 4

(743)

❖ 7>4>3이므로 백의 자리에 가장 큰 수인 7, 십의 자리에 4, 일의 자리에 3을 놓아야 합니다.

17 보기 와 같은 방법으로 딸기 526개를 나타내어 보세요.

보기
딸기 100개 ➡ ▨   딸기 10개 ➡ △   딸기 1개 ➡ ○

백의 자리(▨)	십의 자리(△)	일의 자리(○)
▨▨▨▨▨	△△	○○○○ ○○

❖ 526은 100이 5개, 10이 2개, 1이 6개인 수입니다.

18 정아는 마트에서 라면 코너를 찾고 있습니다. 점원의 설명을 듣고 라면 코너가 있는 곳의 수를 써 보세요.

점원
• 라면 코너가 있는 곳은 세 자리 수야.
• 백의 자리 숫자는 6보다 크고 8보다 작아.
• 십의 자리 숫자가 나타내는 값은 20이야.
• 일의 자리 숫자가 나타내는 값은 5야.

(725)

❖ 백의 자리 숫자는 6보다 크고 8보다 작으므로 7이고, 십의 자리 숫자를 나타내는 값이 20이므로 십의 자리 숫자는 2이고, 일의 자리 숫자가 나타내는 값이 5이므로 일의 자리 숫자는 5입니다.

50 · Run- A 2-1

특강 창의·융합 사고력
정답과 풀이 p.12

1 10원짜리 동전이 다음과 같이 있습니다. 100원이 되려면 10원짜리 동전은 몇 개 더 있어야 할까요?

(1) 10 10 10 10 / 10 10 10 10   (2) 10 10 10 / 10 10 10

(1) 2 개   (2) 4 개

❖ (1) 10원짜리 동전이 8개 있으므로 80원입니다.
100은 80보다 20 큰 수이므로 10원짜리 동전 2개가 더 있어야 합니다.
(2) 10원짜리 동전이 6개 있으므로 60원입니다.
100은 60보다 40 큰 수이므로 10원짜리 동전 4개가 더 있어야 합니다.

2 성훈이의 저금통에는 600원이 들어 있습니다. 이 저금통의 돈이 1000원이 되게 모으려면 매일 100원씩 며칠을 더 모아야 할까요?

(4일)

❖ 600에서 100씩 몇 번 뛰어서 세면 1000이 되는지 알아봅니다.

600 — 700 — 800 — 900 — 1000
　　　1일　 2일　 3일　 4일

따라서 저금통에 있는 돈이 1000원이 되려면 4일을 더 모아야 합니다.

1. 세 자리 수 · 51

2 여러 가지 도형

여러 가지 모양이 생긴 이유

기원전 1650년경 고대 이집트는 나일강을 중심으로 문명이 발전하였습니다. 나일강은 매년 정기적으로 범람하기 때문에 그 주위 토지는 풍부한 영양분을 품을 수 있었고 그것은 풍년으로 이어졌습니다. 하지만 사람들은 매년 땅을 많이 가지기 위해 싸움이 일어났고 나라에서는 정확한 세금을 거두는 문제로 고민을 하였습니다.

때문에 서기관은 나일강이 범람 후에는 농민들에게 땅을 나누어 주기 위해 측량이 필요해졌고, 지금과 같이 여러 가지 모양이 생기게 되었습니다.

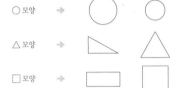

○ 모양 →

△ 모양 →

□ 모양 →

물건의 아랫부분을 본뜬 모양을 알맞게 이어 보세요.

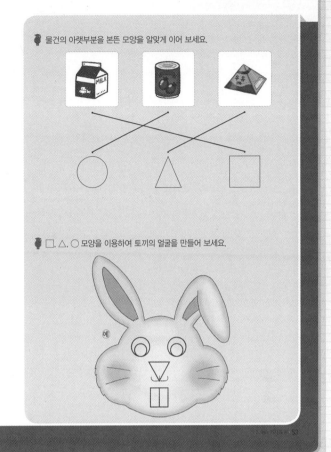

□, △, ○ 모양을 이용하여 토끼의 얼굴을 만들어 보세요.

---

① 단계 교과서 개념 잡기

개념 확인 문제

정답과 풀이 p.13

개념 1 ○ 알아보기

그림과 같은 모양의 도형을 원이라고 합니다.

- 원의 특징
  ① 어느 쪽에서 보아도 똑같이 동그란 모양입니다.
  ② 뾰족한 부분이 없습니다.
  ③ 곧은 선이 없고, 굽은 선으로 이어져 있습니다.
  ④ 크기는 다르지만 생긴 모양이 서로 같습니다.

개념 2 △과 □ 알아보기

그림과 같은 모양의 도형을 삼각형이라고 합니다.

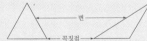

- 삼각형의 특징
  ① 곧은 선들로 둘러싸여 있습니다.
  ② 변이 3개, 꼭짓점이 3개입니다.

그림과 같은 모양의 도형을 사각형이라고 합니다.

- 사각형의 특징
  ① 곧은 선들로 둘러싸여 있습니다.
  ② 변이 4개, 꼭짓점이 4개입니다.

1 원을 모두 찾아 ○표 하세요.

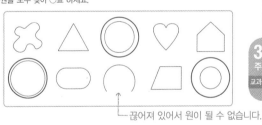

└ 끊어져 있어서 원이 될 수 없습니다.

2-1 □ 안에 알맞은 말을 써넣으세요.

변
꼭짓점

✦ 변: 곧은 선
꼭짓점: 두 곧은 선이 만나는 점

2-2 도형을 보고 알맞은 수에 ○표 하세요.

(1)
- 삼각형은 변이 (③, 4)개입니다.
- 삼각형은 꼭짓점이 (③, 4)개입니다.

(2)
- 사각형은 변이 (3, ④)개입니다.
- 사각형은 꼭짓점이 (3, ④)개입니다.

① 교과서 개념 잡기

개념 3 칠교판으로 모양 만들기

• 칠교판 조각은 삼각형이 5개, 사각형이 2개입니다.

• 칠교판 조각을 이용하여 삼각형과 사각형을 만들 수 있습니다.

칠교판 조각	삼각형	사각형
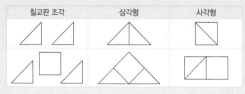

개념 4 ⬠과 ⬡ 알아보기

그림과 같은 모양의 도형을 오각형이라고 합니다.

→ 오각형은 변이 5개, 꼭짓점이 5개입니다.

그림과 같은 모양의 도형을 육각형이라고 합니다.

→ 육각형은 변이 6개, 꼭짓점이 6개입니다.

56 · Run- 2–1

개념 확인 문제

정답과 풀이 p.14

3 칠교판을 보고 물음에 답하세요.

(1) 칠교판 조각에서 삼각형과 사각형을 각각 찾아 번호를 써넣으세요.

삼각형	사각형
①, ②, ③, ⑤, ⑦	④, ⑥

(2) 칠교판의 조각에는 삼각형과 사각형이 각각 몇 개 있을까요?

삼각형 (**5개**), 사각형 (**2개**)

4-1 도형을 보고 빈칸에 알맞은 수나 말을 써넣으세요.

도형	⬠	⬡
변의 수	5	6
꼭짓점의 수	5	6
도형의 이름	**오각형**	**육각형**

4-2 오각형과 육각형을 각각 완성해 보세요.

오각형   육각형

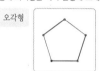

✦ 곧은 선 3개를 더 그어 오각형을 완성합니다.
곧은 선 4개를 더 그어 육각형을 완성합니다.

2. 여러 가지 도형 · 57

① 교과서 개념 잡기

개념 5 똑같은 모양으로 쌓기

• 쌓기나무로 쌓은 모양을 보고 똑같이 쌓기
주어진 모양과 똑같은 모양으로 쌓으려면 쌓기나무의 전체적인 모양, 쌓기나무의 수, 쌓기나무를 놓은 위치나 방향, 쌓기나무의 층수를 생각해야 합니다.

3층에 1개
2층에 1개
1층에 3개

→ 쌓기나무의 수: 3+1+1=5(개)
　　　　　　　 1층 2층 3층

• 똑같은 모양 찾기
쌓기나무를 놓은 위치와 바라본 방향이 달라도 뒤집거나 돌렸을 때 모양이 같으면 서로 같은 모양입니다.

• 쌓은 모양에서 위치 알아보기

빨간색 쌓기나무의 오른쪽에 있는 쌓기나무	빨간색 쌓기나무의 위에 있는 쌓기나무	여러분이 있는 쪽이 앞, 오른손이 있는 쪽이 오른쪽이에요

58 · Run- 2–1

개념 확인 문제

정답과 풀이 p.14

5-1 같은 모양끼리 이어 보세요.

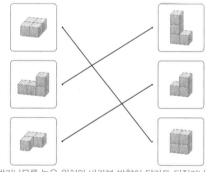

✦ 쌓기나무를 놓은 위치와 바라본 방향이 달라도 뒤집거나 돌렸을 때 모양이 같으면 서로 같은 모양입니다.

5-2 다음에서 설명하는 쌓기나무를 찾아 ○표 하세요.

(1) 빨간색 쌓기나무의 오른쪽에 있는 쌓기나무

(2) 빨간색 쌓기나무의 위에 있는 쌓기나무

(3) 빨간색 쌓기나무의 앞에 있는 쌓기나무

2. 여러 가지 도형 · 59

① 단계 교과서 개념 잡기

개념 ⑥ 여러 가지 모양으로 쌓기

• 주어진 쌓기나무 개수로 여러 가지 모양 만들기

(1) 쌓기나무 3개로 여러 가지 모양 만들기

(2) 쌓기나무 4개로 여러 가지 모양 만들기

(3) 쌓기나무 5개로 여러 가지 모양 만들기

• 쌓기나무로 쌓은 모양 설명하기

설명하기 | 1층에 쌓기나무 3개가 옆으로 나란히 있고, 왼쪽 쌓기나무 위에 쌓기나무 1개가 있습니다.

설명하기 | 1층에 쌓기나무 3개가 옆으로 나란히 있고, 가운데 쌓기나무 위에 쌓기나무 2개가 더 있습니다.

6-1 쌓기나무 3개로 만든 모양에 ○표 하세요.

( ) (○)

✤ 왼쪽 모양은 쌓기나무 4개로 만든 모양입니다.

6-2 쌓기나무 4개로 만들 수 없는 모양의 기호를 써 보세요.

(㉡)

✤ ㉡은 쌓기나무 5개로 만들 수 있는 모양입니다.

6-3 쌓기나무 5개로 만든 모양을 찾아 ○표 하세요.

✤ 가운데와 오른쪽 모양은 쌓기나무 6개로 만든 모양입니다.

6-4 쌓기나무로 쌓은 모양을 바르게 설명하는 말에 ○표 하세요.

쌓기나무 3개가 옆으로 나란히 있고, 왼쪽과 오른쪽 쌓기나무 (위 , **앞** , 뒤)에 쌓기나무가 각각 1개씩 있습니다.

✤ 쌓기나무 3개가 옆으로 나란히 있고, 왼쪽과 오른쪽 쌓기나무 앞에 쌓기나무가 각각 1개씩 있습니다.

PLAY 교과서 개념 스토리 | 도형 만들기

칠교판 조각 붙임딱지를 이용하여 삼각형, 사각형, 오각형, 육각형을 만들어 보고, 각 모양의 변과 꼭짓점의 수를 세어 보세요.

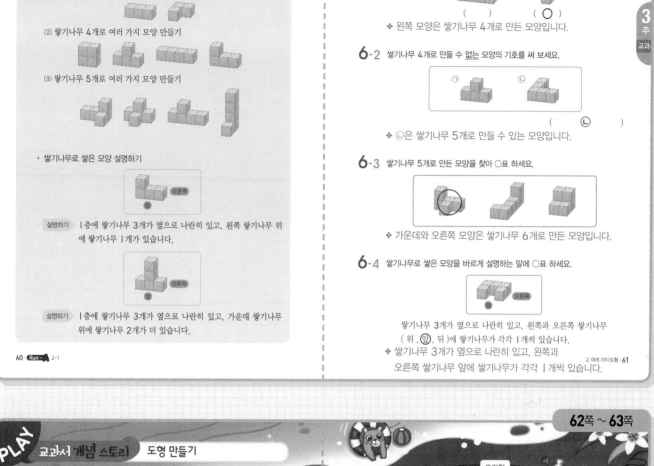

삼각형

삼각형은 변이 3 개, 꼭짓점이 3 개입니다.

사각형

사각형은 변이 4 개, 꼭짓점이 4 개입니다.

오각형

오각형은 변이 5 개, 꼭짓점이 5 개입니다.

육각형

육각형은 변이 6 개, 꼭짓점이 6 개입니다.

PLAY 교과서 개념 스토리   마을 꾸미기

주어진 모양에 쌓기나무 1개를 더 붙여서 서로 다른 모양을 만들어 보세요.

쌓기나무로 만든 사물 모양 붙임딱지를 붙여 마을을 꾸며 보세요.

비행기 모양 · 모자 모양 · 분수대 모양 · 나무 모양 · 자동차 모양 · 버스 모양

② 교과서 개념 다지기

정답과 풀이 p.16

개념1 원 알아보기

01 원은 모두 몇 개일까요?

1개 2개 3개 4개 5개 6개 (**6개**)

✿ 겹쳐져 있는 원을 하나씩 떨어뜨려 보면 원은 모두 6개입니다.

02 주변에 있는 물건이나 모양 자를 이용하여 크기가 서로 다른 원을 2개 그려 보세요.

(예)

✿ 컵이나 동전 등을 이용하여 크기가 서로 다른 원 2개를 그립니다.

03 원에 적힌 수의 합을 구해 보세요.

✿ 어느 쪽에서 보아도 똑같이 동그란 (10)
모양의 도형을 찾으면 ③과 ⑦입니다.
따라서 원에 적힌 수의 합은 3+7=10입니다.

개념2 삼각형과 사각형 알아보기

04 색종이를 점선을 따라 자르려고 합니다. 삼각형과 사각형은 각각 몇 개씩 만들어지는지 구해 보세요.

삼각형 (**3개**)
사각형 (**3개**)

✿ • 삼각형은 변이 3개, 꼭짓점이 3개입니다. ➜ ②, ④, ⑥: 3개
• 사각형은 변이 4개, 꼭짓점이 4개입니다. ➜ ①, ③, ⑤: 3개

05 도형을 보고 빈칸에 알맞은 수나 말을 써넣으세요.

도형	△	□
변의 수	3	4
꼭짓점의 수	3	4
도형의 이름	삼각형	사각형

06 주어진 선을 한 변으로 하는 삼각형과 사각형을 각각 2개씩 그려 보세요.

삼각형   사각형

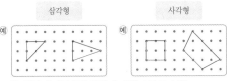

✿ 삼각형은 3개의 점을 정한 후 곧은 선으로 이어 그리고, 사각형은 4개의 점을 정한 후 곧은 선으로 이어 그립니다.

교과서 개념 다지기

개념 3 칠교판으로 모양 만들기

07 칠교판에 대한 설명으로 틀린 것을 찾아 기호를 써 보세요.

⊙ 칠교판 조각은 모두 7개입니다.
ⓒ 칠교판 조각 중 삼각형은 4개입니다.
ⓒ 칠교판 조각 중 크기가 가장 큰 조각은 삼각형입니다.

(ⓒ)

✛ ⓒ 칠교판 조각 중 삼각형은 5개입니다.

08 칠교판의 ①, ②, ③ 세 조각을 모두 이용하여 삼각형과 사각형을 각각 만들어 보세요.

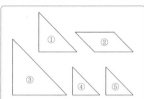

삼각형	사각형

09 칠교판의 다섯 조각을 모두 이용하여 오른쪽 모양을 만들어 보세요.

개념 4 오각형과 육각형 알아보기

10 그림에서 찾을 수 있는 도형의 이름을 써 보세요.

(1) (육각형)

(2) (오각형)

✛ (1) 벌집 모양에서 찾을 수 있는 도형은 변이 6개인 육각형입니다.
(2) 표지판 모양에서 찾을 수 있는 도형은 변이 5개인 오각형입니다.

11 도형을 보고 물음에 답하세요.

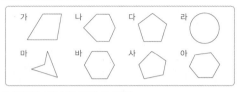

(1) 오각형을 모두 찾아 기호를 써 보세요.

(다, 사)

(2) 육각형을 모두 찾아 기호를 써 보세요.

(나, 바, 아)

✛ (1) 변이 5개인 도형은 다, 사입니다.
(2) 변이 6개인 도형은 나, 바, 아입니다.

12 다음 설명을 읽고 맞으면 ○표, 틀리면 ×표 하세요.

(1) 오각형은 곧은 선들로 둘러싸여 있습니다. (○)
(2) 육각형은 변이 5개, 꼭짓점이 6개입니다. (×)
(3) 오각형은 육각형보다 꼭짓점의 수가 적습니다. (○)

✛ (2) 육각형은 변이 6개, 꼭짓점이 6개입니다.

교과서 개념 다지기

개념 5 똑같은 모양으로 쌓기

13 다음과 똑같은 모양으로 쌓으려면 쌓기나무가 각각 몇 개 필요할까요?

(1) (5개)

(2) (6개)

✛ (1) 1층: 3개, 2층: 1개, 3층: 1개 ➜ 3+1+1=5(개)
(2) 1층: 5개, 2층: 1개 ➜ 5+1=6(개)

14 왼쪽 모양을 오른쪽과 똑같은 모양으로 쌓으려면 몇 개의 쌓기나무가 더 필요할까요?

(2개)

✛ 왼쪽 모양은 4개, 오른쪽 모양은 6개로 쌓은 모양이므로 2개의 쌓기나무가 더 필요합니다.

15 왼쪽 모양에서 쌓기나무 1개를 빼내어 오른쪽과 똑같은 모양을 만들려고 합니다. 빼내야 할 쌓기나무를 찾아 번호를 써 보세요.

 ➜

(⑥)

✛ ⑥의 쌓기나무를 빼내면 오른쪽 모양과 똑같이 만들 수 있습니다.

개념 6 여러 가지 모양으로 쌓기

16 쌓기나무 5개로 만들 수 있는 모양을 모두 찾아 기호를 써 보세요.

✛ ⊙ 5개, ⓒ 5개, ⓒ 6개, ⓔ 4개 (⊙, ⓒ)

17 어떤 모양을 생각하며 쌓은 것인지 이어 보세요.

18 쌓기나무로 쌓은 모양을 바르게 나타내도록 보기에서 알맞은 말을 골라 □ 안에 써넣으세요.

보기
위, 앞, 뒤, 왼쪽, 오른쪽

(1) ➜ 1층에 쌓기나무 3개가 옆으로 나란히 있고, 오른쪽 쌓기나무의 위 에 쌓기나무 1개가 있습니다.

(2) ➜ 1층에 쌓기나무 3개가 옆으로 나란히 있고, 왼쪽 쌓기나무의 앞 에 쌓기나무 1개가 있습니다.

3 단계 교과서 **실력 다지기**

정답과 풀이 p.18

★ 도형의 특징 알아보기

1 다음에서 설명하는 도형의 이름을 써 보세요.

- 사각형보다 꼭짓점이 많습니다.
- 육각형보다 변이 적습니다.

㉠ **오각형**

개념 피드백
① 사각형의 꼭짓점은 4개입니다.
② 육각형의 변은 6개입니다.

1-1 다음에서 설명하는 도형의 이름을 써 보세요.

- 곧은 선들로 둘러싸여 있습니다.
- 뾰족한 부분이 있습니다.
- 변과 꼭짓점의 수의 합이 8입니다.

❖ 곧은 선들로 둘러싸여 있으며 뾰족한 (**사각형**)
부분이 있는 도형은 삼각형, 사각형, 오각형, 육각형입니다.
변과 꼭짓점의 수의 합이 8인 도형은 변과 꼭짓점의 수가 각각
4개인 도형과 같으므로 도형의 이름은 사각형입니다.

1-2 원의 특징이 <u>아닌</u> 것을 찾아 기호를 써 보세요.

㉠ 꼭짓점과 변이 없습니다.
㉡ 어느 쪽에서 보아도 똑같은 모양입니다.
㉢ 크기는 항상 같습니다.
㉣ 곧은 선이 없습니다.

(㉢)

❖ ㉢ 원의 크기는 다양합니다.

72 · Run- 2-1

★ 도형에서 변과 꼭짓점의 수 구하기

2 삼각형의 꼭짓점의 수와 오각형의 변의 수의 합은 모두 몇 개일까요?

㉠ **8개**

개념 피드백
① ■각형에서 ■는 꼭짓점의 수를 나타냅니다.
② ■각형에서 ■는 변의 수를 나타냅니다.

❖ 삼각형의 꼭짓점의 수는 3이고, 오각형의 변의 수는 5입니다.
➡ 3+5=8(개)

2-1 도형을 보고 ☐ 안에 알맞은 수를 써넣으세요.

사각형 → □ 나는 삼각형보다 꼭짓점이
1 개 더 많은 도형입니다.

육각형 → ⬡ 나는 삼각형보다 변이
3 개 더 많은 도형입니다.

2-2 ㉮와 ㉯의 합을 구해 보세요.

- 사각형은 변이 ㉮개입니다.
- 오각형은 꼭짓점이 ㉯개입니다.

(**9**)

❖ • 사각형은 변이 4개입니다. ➡ ㉮=4
• 오각형은 꼭짓점이 5개입니다. ➡ ㉯=5
➡ 4+5=9

2. 여러 가지 도형 · 73

---

3 단계 교과서 **실력 다지기**

정답과 풀이 p.18

★ 쌓은 쌓기나무의 수 비교하기

3 쌓은 쌓기나무의 수가 낮은 것부터 차례로 기호를 써 보세요.

㉠ **㉢, ㉠, ㉡**

개념 피드백
• 각 모양의 쌓기나무의 수를 구한 다음 쌓기나무의 수를 비교합니다.

❖ 쌓기나무의 수가 ㉠은 5개, ㉡은 4개, ㉢은 6개입니다.

3-1 쌓은 쌓기나무의 수가 <u>다른</u> 하나를 찾아 기호를 써 보세요.

(㉡)

❖ ㉠ 6개, ㉡ 7개, ㉢ 6개

3-2 왼쪽 모양을 오른쪽 모양과 똑같이 만들려고 합니다. 쌓기나무는 몇 개 더 필요할까요?

 →

(**2개**)

❖ 왼쪽에 쌓은 쌓기나무는 4개, 오른쪽에 쌓은 쌓기나무는
6개이므로 쌓기나무는 2개 더 필요합니다.

74 · Run- 2-1

★ 모양을 만드는 데 사용한 도형의 수 구하기

4 여러 가지 도형을 사용하여 만든 모양입니다. 가장 많이 사용한 도형은 무엇이고, 몇 개를 사용하였는지 써 보세요.

㉠ **삼각형** , **5개**

개념 피드백
① 사용한 도형은 각각 몇 개인지 세어 봅니다.
② 도형의 수를 셀 때 중복되거나 빠뜨리지 않도록 주의합니다.

❖

도형	원	삼각형	사각형
도형의 수(개)	4	5	3

4-1 여러 가지 도형을 사용하여 만든 모양입니다. 각 도형의 개수를 세어 빈칸에 알맞은 수를 써넣으세요.

원: 3개, 삼각형: 4개
사각형: 2개, 오각형: 1개

원: 1개
삼각형: 6개
사각형: 3개
육각형: 1개

원: 2개
삼각형: 2개
사각형: 2개
육각형: 2개

도형	원	삼각형	사각형	오각형	육각형
도형의 수(개)	6	12	7	1	3

❖ 사용한 도형은 각각 몇 개인지 세어 봅니다.

2. 여러 가지 도형 · 75

3단계 교과서 실력 다지기

정답과 풀이 p.19

★ 크고 작은 삼각형 또는 사각형의 수 구하기

5 그림에서 찾을 수 있는 크고 작은 사각형은 모두 몇 개인지 구해 보세요.

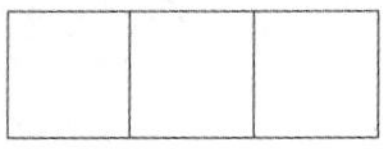

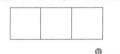

답 6개

개념 피드백
① 작은 사각형 1개짜리, 2개짜리, 3개짜리로 나누어서 각각 수를 세어 봅니다.
② ①에서 구한 수를 모두 더합니다.

✤ 작은 사각형 1개짜리: 3개, 작은 사각형 2개짜리: 2개, 작은 사각형 3개짜리: 1개 ➔ $3+2+1=6$(개)

5-1 그림에서 찾을 수 있는 크고 작은 삼각형은 모두 몇 개인지 구해 보세요.

(1) 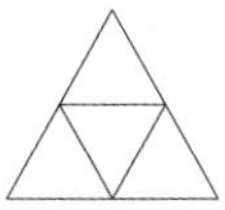
(5개)

(2) 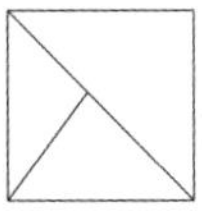
(4개)

✤ (1) 작은 삼각형 1개짜리: 4개, 작은 삼각형 4개짜리: 1개
➔ $4+1=5$(개)
(2) 삼각형 1개짜리: 3개, 삼각형 2개짜리: 1개
➔ $3+1=4$(개)

5-2 그림에서 찾을 수 있는 크고 작은 사각형은 모두 몇 개일까요?

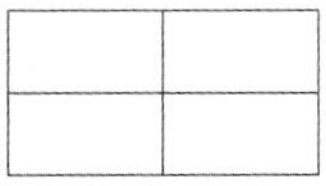

(9개)

✤ 작은 사각형 1개짜리: 4개, 작은 사각형 2개짜리: 4개, 작은 사각형 4개짜리: 1개 ➔ $4+4+1=9$(개)

★ 도형 그리기

6 다음 설명에 맞는 도형을 그려 보세요.

• 변이 4개입니다.
• 도형의 안쪽에 점이 6개 있습니다.

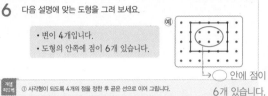

예 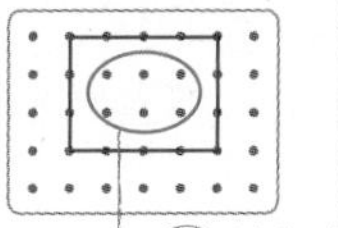
안에 점이 6개 있습니다.

개념 피드백
① 사각형이 되도록 4개의 점을 정한 후 곧은 선으로 이어 그립니다.
② 그린 도형의 안쪽에 놓인 점의 수가 6개인지 확인합니다.

✤ 변이 4개이면 사각형이므로 도형의 안쪽에 점이 6개 있는 사각형을 그립니다.

6-1 다음 설명에 맞는 도형을 그려 보세요.

• 변이 3개입니다.
• 도형의 안쪽에 점이 3개 있습니다.

예 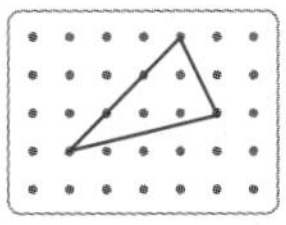

✤ 변이 3개이면 삼각형이므로 도형의 안쪽에 점이 3개 있는 삼각형을 그립니다.

6-2 다음 설명에 맞는 도형을 그려 보세요.

• 변이 5개입니다.
• 도형의 안쪽에 점이 8개 있습니다.

예 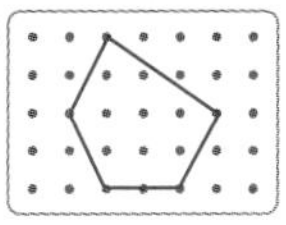

✤ 변이 5개이면 오각형이므로 도형의 안쪽에 점이 8개 있는 오각형을 그립니다.

Test 교과서 서술형 연습

정답과 풀이 p.19

서술형 연습 **1** 다음 도형은 사각형이 아닙니다. 사각형이 아닌 이유를 설명해 보세요.

해결하기 사각형은 (곧은 , 굽은) 선 4 개로 둘러싸여 있습니다.
주어진 도형은 (곧은 , 굽은) 선이 있으므로 사각형이 아닙니다.
(곧은, 굽은에 ○ 표시)

서술형 실전 **2** 다음 도형은 육각형이 아닙니다. 육각형이 아닌 이유를 설명해 보세요.

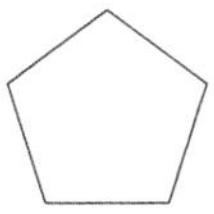

해결하기 예 육각형은 꼭짓점이 6개, 변이 6개이어야 하는데 주어진 도형은 꼭짓점이 5개, 변이 5개이므로 육각형이 아닙니다.

서술형 연습 **3** 쌓기나무로 쌓은 모양을 설명해 보세요.

해결하기 1층에 쌓기나무 4 개가 옆으로 나란히 있고, 가장 왼쪽 쌓기나무의 (뒤 , 앞)에 쌓기나무가 1 개 있고, 가장 (오른쪽 , 왼쪽) 쌓기나무의 (앞 , 뒤)에 쌓기나무가 1 개 있습니다.
(뒤, 오른쪽, 뒤에 ○ 표시)

서술형 실전 **4** 쌓기나무로 쌓은 모양을 설명해 보세요.

해결하기 예 쌓기나무 2개가 옆으로 나란히 있고, 왼쪽 쌓기나무의 뒤에 쌓기나무를 3개 쌓았습니다.

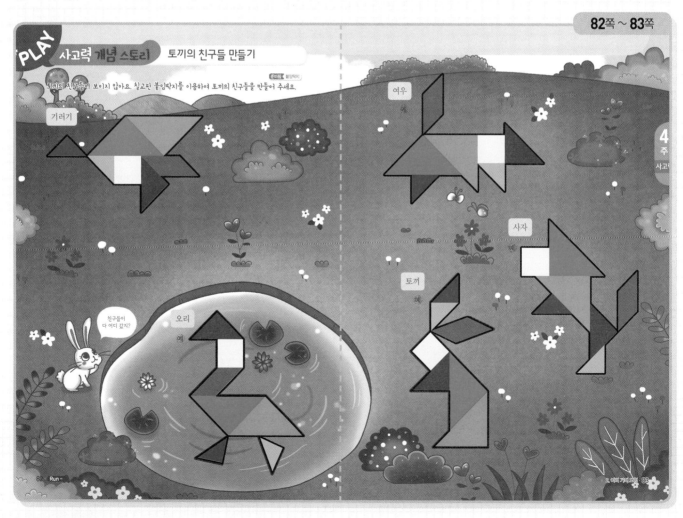

1단계 교과 사고력 잡기

정답과 풀이 p.21

1 각 나라 국기에서 찾을 수 있는 도형을 모두 찾아 ○표 하고, 찾을 수 있는 도형의 수가 콩고 공화국과 같은 나라의 이름을 써 보세요.

〈콩고 공화국〉

❶ 각 나라 국기에서 찾을 수 있는 도형을 모두 찾아 ○표 하세요.

〈대한민국〉

〈바하마〉

〈몰디브〉

❷ 각 나라 국기에서 찾을 수 있는 도형의 수가 콩고 공화국과 같은 나라의 이름을 써 보세요.

(**대한민국**)

84 · Run 2-1

2 토끼와 거북은 배를 타고 집으로 가려고 합니다. 칠교판의 일곱 조각을 모두 이용하여 배와 집 모양을 완성해 보세요.

준비물 붙임딱지

2. 여러 가지 도형 · 85

1단계 교과 사고력 잡기

정답과 풀이 p.21

3 세형이가 다음 모양이 되풀이되는 규칙으로 길을 따라가면 좋아하는 간식을 먹을 수 있습니다. 세형이가 마지막으로 도착한 곳에 있는 간식을 써 보세요.

규칙
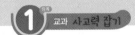

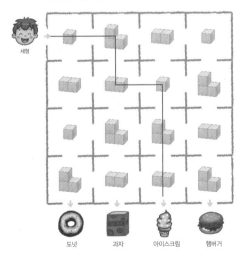

도넛 과자 아이스크림 햄버거

❶ 규칙에 따라 길을 따라가 보세요.

❷ 세형이가 마지막으로 도착한 곳에 있는 간식을 써 보세요.

(**아이스크림**)

86 · Run 2-1

4 보기와 같이 쌓기나무로 쌓은 모양을 보고 오른쪽 빈칸에 알맞은 수를 써넣고 쌓은 쌓기나무는 몇 개인지 구해 보세요.

보기
 → | 2 | 1 | 1 | → 쌓기나무 수: 5개

• ▦은 쌓기나무로 쌓은 모양을 위에서 본 그림입니다.
• 각 칸의 숫자는 각 칸에 쌓은 쌓기나무의 수입니다.

❶ → | 2 | 2 |
    | 2 | 2 |

(**8개**)

❖ 2+2+2+2=8(개)

❷ → | 2 | 3 | 1 |
    | 1 | | |

(**7개**)

❖ 2+3+1+1=7(개)

❸ → | 3 | 2 | 1 |
    | 2 | 1 | |
    | 1 | | |

(**10개**)

❖ 3+2+1+2+1+1=10(개)

2. 여러 가지 도형 · 87

② 단계 교과 사고력 확장

1 규칙에 따라 빈 곳에 알맞은 도형을 그려 보세요.

규칙

△ → □ 꼭짓점의 수가 1개 많아졌습니다.

△ → ⬠ 꼭짓점의 수가 2개 많아졌습니다.

△ → ⬡ 꼭짓점의 수가 3개 많아졌습니다.

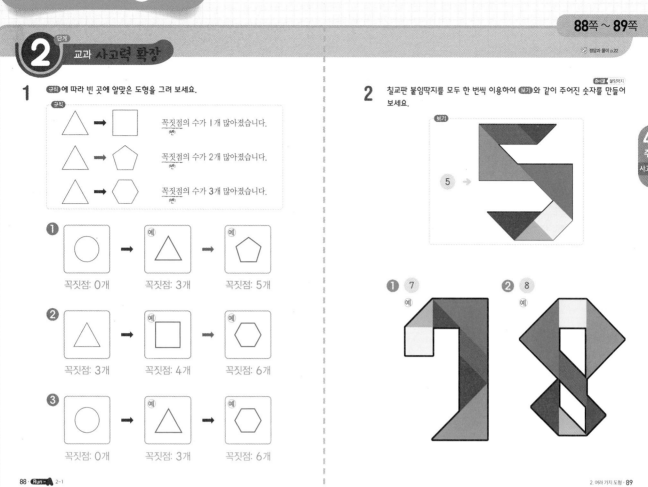

❶ ○ → △(예) → ⬠(예)

꼭짓점: 0개 　꼭짓점: 3개 　꼭짓점: 5개

❷ △ → □(예) → ⬡(예)

꼭짓점: 3개 　꼭짓점: 4개 　꼭짓점: 6개

❸ ○ → △(예) → ⬡(예)

꼭짓점: 0개 　꼭짓점: 3개 　꼭짓점: 6개

88 · Run- Ⓐ 2-1

2 칠교판 붙임딱지를 모두 한 번씩 이용하여 보기와 같이 주어진 숫자를 만들어 보세요.

보기 5 →

❶ 7 예

❷ 8 예

2. 여러 가지 도형 · 89

② 단계 교과 사고력 확장

3 규칙에 따라 알맞은 수를 찾아 이어 보세요.

규칙

○ ⬠ → 5 　□ △ → 7

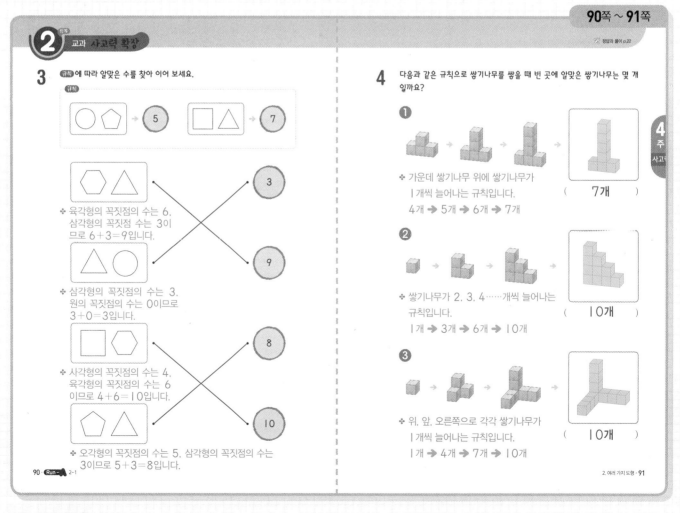

⬡ △ ── 3

❖ 육각형의 꼭짓점의 수는 6, 삼각형의 꼭짓점 수는 3이 므로 6+3=9입니다.

△ ○ ── 9

❖ 삼각형의 꼭짓점의 수는 3, 원의 꼭짓점의 수는 0이므로 3+0=3입니다.

□ ⬡ ── 8

❖ 사각형의 꼭짓점의 수는 4, 육각형의 꼭짓점의 수는 6 이므로 4+6=10입니다.

⬠ △ ── 10

❖ 오각형의 꼭짓점의 수는 5, 삼각형의 꼭짓점의 수는 3이므로 5+3=8입니다.

90 · Run- Ⓐ 2-1

4 다음과 같은 규칙으로 쌓기나무를 쌓을 때 빈 곳에 알맞은 쌓기나무는 몇 개 일까요?

❶

❖ 가운데 쌓기나무 위에 쌓기나무가 1개씩 늘어나는 규칙입니다.
4개 ➡ 5개 ➡ 6개 ➡ 7개

(7개)

❷

❖ 쌓기나무가 2, 3, 4……개씩 늘어나는 규칙입니다.
1개 ➡ 3개 ➡ 6개 ➡ 10개

(10개)

❸

❖ 위, 앞, 오른쪽으로 각각 쌓기나무가 1개씩 늘어나는 규칙입니다.
1개 ➡ 4개 ➡ 7개 ➡ 10개

(10개)

2. 여러 가지 도형 · 91

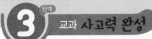

③ 교과 **사고력 완성**

정답과 풀이 p.23

평가 영역 □개념 이해력 □개념 응용력 ☑창의력 □문제 해결력

1 다음 점들을 이어서 그릴 수 있는 사각형은 모두 몇 개인지 구해 보세요.

① 찾을 수 있는 서로 다른 모양의 사각형을 모두 그리고 각각 몇 개씩 그릴 수 있는지 □ 안에 알맞은 수를 써넣으세요.

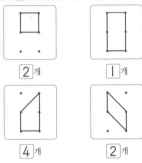

2 개   1 개

4 개   2 개

✤ 점 4개를 정한 후 곧은 선으로 이어 서로 다른 모양의 사각형을 그립니다.

② 점들을 이어서 그릴 수 있는 사각형은 모두 몇 개일까요?

(9개)

✤ 2+1+4+2=9(개)

평가 영역 □개념 이해력 □개념 응용력 ☑창의력 ☑문제 해결력

2 그림에서 찾을 수 있는 크고 작은 사각형은 모두 몇 개일까요?

(5개)

✤ 삼각형 2개로 이루어진 사각형: ①+②, ③+④ ➡ 2개
삼각형 3개로 이루어진 사각형: ①+②+③, ②+③+④ ➡ 2개
삼각형 4개로 이루어진 사각형: ①+②+③+④ ➡ 1개
➡ 2+2+1=5(개)

평가 영역 □개념 이해력 □개념 응용력 ☑창의력 □문제 해결력

3 왼쪽의 모양은 2가지 쌓기나무 모양을 붙여 만든 모양입니다. 보기 와 같이 사용한 모양을 모두 찾아 ○표 하세요.

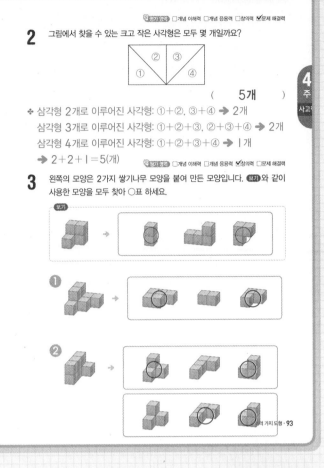

Test **종합평가**   2. 여러 가지 도형   맞은 개수

정답과 풀이 p.23

1 원을 이용하여 재미있는 그림을 그려 보세요.

(예)

2 오각형과 육각형의 같은 점을 모두 찾아 기호를 써 보세요.

⊙ 곧은 선들로 둘러싸여 있습니다.
ⓒ 변이 5개입니다.
ⓒ 꼭짓점이 6개입니다.
ⓔ 뾰족한 부분이 있습니다.

(⊙, ⓔ)

✤ ⓒ 오각형
ⓒ 육각형

3 오각형과 육각형을 각각 1개씩 그려 보세요.

오각형   육각형

(예)   (예)

✤ · 오각형은 5개의 점을 정한 후 곧은 선으로 이어 그립니다.
· 육각형은 6개의 점을 정한 후 곧은 선으로 이어 그립니다.

---

4 똑같은 모양으로 쌓으려면 필요한 쌓기나무는 모두 몇 개일까요?

(4개)

✤ 쌓기나무 4개로 만든 모양입니다.

5 보기 의 세 조각을 모두 이용하여 다음 모양을 만들어 보세요.

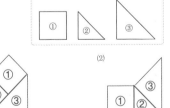

①   ②   ③

(1)예   (2)

6 쌓기나무 모양을 주어진 조건에 맞게 색칠해 보세요.

조건
· 빨간색 쌓기나무 위에 파란색 쌓기나무
· 빨간색 쌓기나무 오른쪽에 초록색 쌓기나무
· 초록색 쌓기나무 뒤에 노란색 쌓기나무

파란색   노란색

오른쪽

초록색

Test 종합평가 2. 여러 가지 도형

정답과 풀이 p.24

7 ㉠+㉡+㉢의 값을 구해 보세요.

> ㉠ 삼각형의 꼭짓점의 수
> ㉡ 오각형의 변의 수
> ㉢ 원의 꼭짓점의 수

(8)

❖ 삼각형의 꼭짓점의 수는 3, 오각형의 변의 수는 5, 원의 꼭짓점의 수는 0입니다. ➡ 3+5+0=8

8 쌓은 모양을 바르게 나타내도록 보기에서 알맞은 말이나 수를 골라 □ 안에 써넣으세요.

보기
위, 앞, 뒤, 1, 2, 3

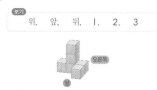

쌓기나무 3개가 옆으로 나란히 있고, 가운데 쌓기나무 **위** 에 쌓기나무 **2** 개가 있고, 오른쪽 쌓기나무 **앞** 에 쌓기나무 1개가 있습니다.

9 그림에서 찾을 수 있는 크고 작은 삼각형은 모두 몇 개일까요?

(6개)

❖ 삼각형 1개짜리: 3개,
삼각형 2개짜리: 2개, 삼각형 3개짜리: 1개
➡ 크고 작은 삼각형은 모두 3+2+1=6(개)입니다.

96 Run- A 2-1

10 왼쪽 모양에서 쌓기나무 1개를 옮겨 오른쪽과 똑같은 모양을 만들려고 합니다. 옮겨야 할 쌓기나무를 찾아 기호를 써 보세요.

(㉤)

❖ 오른쪽과 똑같은 모양을 만들려면 왼쪽 쌓기나무 모양에서 ㉤을 ㉡ 위로 옮겨야 합니다.

[11~12] 칠교판을 보고 물음에 답하세요.

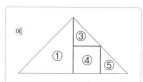

11 칠교판 조각은 삼각형과 사각형 중 어느 도형이 몇 개 더 많을까요?

(삼각형), (3개)

❖ · 삼각형: ①, ②, ③, ⑤, ⑦ ➡ 5개
· 사각형: ④, ⑥ ➡ 2개

따라서 삼각형이 사각형보다 3개 더 많습니다.

12 칠교판 조각 4개를 이용하여 다음 삼각형을 만들어 보세요.

예

2. 여러 가지 도형 · 97

Test 종합평가 2. 여러 가지 도형

정답과 풀이 p.24

13 진주가 여러 가지 도형으로 만든 모양입니다. 변이 4개인 도형은 모두 몇 개 사용하였을까요?

(7개)

❖ 변이 4개인 도형은 사각형입니다. 사각형은 모두 7개 사용하였습니다.

14 쌓기나무로 쌓은 모양을 설명해 보세요.

예 1층에 쌓기나무 3개가 옆으로 나란히 있고, 왼쪽 쌓기나무 위에 쌓기나무 2개가 있습니다.

15 왼쪽 모양은 똑같은 쌓기나무 모양을 2개 붙여서 만든 모양입니다. 사용한 모양을 찾아 기호를 써 보세요.

(㉡)

❖

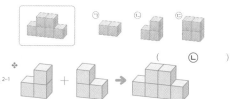

98 Run- A 2-1

특강 창의·융합 사고력

정답과 풀이 p.24

준비물 붙임딱지

1 토끼 마을에서 당근을 수확하였습니다. 수확한 당근의 수는 다음 규칙과 같습니다. 규칙을 찾아 빈 곳에 알맞은 수를 써넣고 당근 붙임딱지를 붙여 보세요.

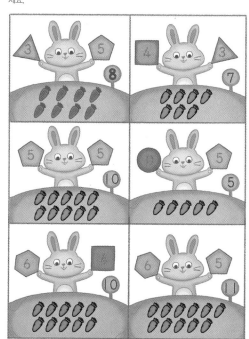

2. 여러 가지 도형 · 99

단원별 기초 연산 드릴 학습서

최강 단원별 연산은 내게 맡겨라!

천재
계산박사

교과과정 바탕

교과서 주요 내용을
단원별로 세분화한 12단계 구성으로
실력에 맞는 단계부터 시작 가능!

연산 유형 마스터

원리 학습에서 계산 방법 익히고,
문제를 반복 연습하여
초등 수학 단원별 연산 완성!

재미 UP! QR 학습

딱딱하고 수동적인 연산학습은 NO!
QR 코드를 통한 〈문제 생성기〉와
〈학습 게임〉으로 재미있는 수학 공부!

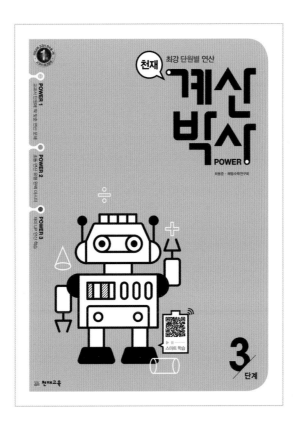

탄탄한 기초는 물론
계산력까지 확실하게!
초등1~6학년(총 12단계)

정답은
이안에
있어!